제주

입도에서 육아까지, 제주 생존 10주년 기념 수다

What (왓)

수다

저자 김미르

서울 토박이 남편 그리고 두 돌 된 온둥이들(가온, 다온)과 계획 없이 입도해, 제주 도민으로 태어난 막내딸 라온이와 함께 10년째 제주에서 살고 있다. 어제도 오늘도 재택 밥벌이용 노트북을 상비하고 다니는 늦깎이 서툰 엄마지만, 아이들에게 최선을 다하는 모습을 보여주기 위해 시작한 글쓰기. 낮에는 일하고, 일하는 전후로는 남편과 함께 육아와 살림을 하고, 밤에는 커피를 배워가며 글을 쓰고 있다.

제주
What (왓)
수다

입도에서 육아까지, 제주 생존 10주년 기념 수다

글 \ 김미르   그림 \ 김가온 김다온

　"제주 What(왓) 수다"는 저자가 10년 동안 입도에서 육아까지 도민으로서의 정체성을 찾아가는 과정을 관광객의 시선이 아닌 입도 민의 시선으로 생생하고 진솔하게 풀어낸 책이다.

　"제주 What(왓) 수다"는 제주의 자연과 문화, 일상 속에서 발견한 소소하지만, 특별한 행복을 담아내어 독자들이 진짜 이야기를 느끼게 하는 책이다.

　제주에서의 찐~삶이 궁금하다면, 그리고 그 속에서 진정한 행복을 찾고 싶다면, 이 책은 그 답을 찾는 데 큰 도움이 될 것이다. "제주 What(왓) 수다"를 통해 여러분도 제주의 진정한 매력을 발견하고, 새로운 시작을 맞이하길 바란다.

프롤로그

드르륵~

온라인 회의 종료 버튼을 클릭하자마자 문자 알림 진동이 울린다.

[제주문화예술재단 알림] "엄마의 활주로, 에세이 출간 엄마 작가 되세요."

업무 연락 일 줄 알고 열었는데, 뜬금없는 안내 문자다.

작가? 삭제 버튼을 누르려다 재단 사이트를 열어본다.

'어? 진짜네? 글을? 내가? 나도? 아마도?' 무언가에 홀린 듯 꼬리에 꼬리를 물고 도전의 이유를 만들어 일단 신청서를 작성한다.

그리고 신청서 제출 직전 다시 멈칫.

'두 달 만에? 할 수 있을까? 뭘 쓰지? 언제 써?'

'음⋯. 가온과 다온이가 이런 학교 알림장을 받았다고 내게 물어오면, 나는 1초 만에 대답하겠지.'

"OK~ 잘 결정했어. 그럼 다양하게 경험하는 건 좋은 거잖아. 잘하든 못하든 일단 해보는 거지. 해봐야 잘하는지 못하는지도 알 수 있잖아. 일단 시도해 보려고 하다니, 우리 딸들 대견해! 칭찬할게! 용기 있어! 당연히 못 끝내도 괜찮지. 네가 끝까지 하려고 열심히 노력했다는 게 중요한 거니까."

'애들한테는 OK 할 걸 엄마가 자신 없어서 바빠서 시도도 안 한다고 할 수는 없지. 나는 엄마야. 그럼, 결정! 일단 하는 걸로.'

누가 보면 1인극 하는 줄 알겠다 싶을 만큼 혼자 질문하고 대답하며 중얼거리다, 「에세이 출간 엄마 작가 되기」 프로젝트에 도전하기로 했다.

2주 동안 어떤 내용으로 쓸지 주제를 고민하며 기존 에세이들을 조사했다. 자연스럽게 찾아본 검색어"제주", 출간된 대부분이 여행(또는 여행과 육아), 안내서, 단기간 살이(한 달 또는 1년 살기 등), 입도 경험 소개를 주로 다루고 있었다. 독자 입장에서 내가 어떤 새로운 이야기를 들려주면 좋을까 고민하다가 문득 올해가 입도 10년 차인 걸 깨달았다. 그동안 제주 생활에 대한 정보와 노하우를 정리해서 주변에 공유해보자고 생각해 왔던 차에, 이번 책 "제주 What(왓) 수다"로 제주에서의 삶을 돌아보며, 그 여정을 정리해 보기로 했다.

1장 「첫인사」에서는 제주 품에 안기게 된 계기를, 2장 「진짜 제주를 배울 팁!」에서는 육지와 다른 점들을, 3장 「엄마는 처음이라」에서는 제주에서의 육아 이야기를, 4장 「도민의 평범한 하루」에서는 제주 도민이 된 일상 속 소소한 순간들을, 5장 「토닥토닥 수다가 필요해」에서는 제주 정착 과정에서 겪는 외로움과 극복 중인 과정을 다루었다. 그리고 각 장마다 새로운 환경에 적응하며 우리 터전을 만들어 가는 생생한 이야기들을 담아, 제주살이를 꿈꾸는 이들에게 현실적인 조언과 따뜻한 격려가 되기를 바랐다. 또 낯선 땅에서 겪은 시행착오와 그 속에서 피어난 성장을 담담히 기록해 독자들에게 공감과 위로를 전하고자 했다.

물론 나에게는 특별한 이 경험들이 다른 누구에게는 그저 평범한 이야기일 수도 있다. 하지만 그 평범함 속에서 우리는 진정한 삶의 아름다움을 발견하기도 한다. 이 책이 독자들에게 일상의 소중함을 다시금 떠올리게 하고, 따뜻한 추억을 선물하길 바란다.

1장
첫인사

2장
진짜 제주에서 배울 팁!

3장
엄마는 처음이라

4장
도민의 평범한 하루

5장
토닥토닥 수다가 필요해

1장.
첫인사

입도민인가요?

오늘은 하반기 주민자치센터 프로그램 첫째 날이다. 공지된 주소에 도착하고 보니, 제주 구옥을 리모델링 한 작은 도자기 공방 앞이다. 조심스레 문을 열고 들어서니 비슷한 또래의 남녀 성인 4명이 돌아가며 자기소개 중이다. 언뜻 보기에도 비슷한 연배에 안심하며 자리를 잡고 내 차례가 되어 소개를 시작하려는데 피식 웃음이 난다. 소개 방식이 너무 비슷하다. 제주에 터를 잡은 지 벌써 10년이 넘어가는데 아직도 적응되지 않고 웃음이 난다.

"저는 서귀포에 살고있는 김미르라고 합니다. 처음 배우는 거라 잘 부탁드립니다."

말이 끝나자마자 예상대로 빠진 소개를 누군가 질문한다.

"입도민인가요? 아니면 토박이?"

제주에서는 지역 특성 탓인지 자기소개를 할 때 대부분 육지(본토)에서 들어온 입도민(이주민)인지, 제주에서 나고 자란 토박이(원도민, 현지민)인지를 물어본다. 그리고 같은 토박이라면 호구조사 몇 가지로 한두 다리만 건너면 다 아는 괸당(친척)이거나 학연/지연 등의 공통점을 찾아 구성진 제주어를 구사하며 급 친해진다. 입도민이라고 대답하면 토박이는 제주어 사용을 자제하며 표준어?로 된 단어를 골라 대화를 이어가고(입도민을 배려해 육지말?로 번역해줌), 같은 처지의 입도민은 오랜 동지와 재회한 듯 회포를 푼다.

아무튼 이번 프로그램에 참여한 모든 이들은 강사를 포함하여 모두 입도민이었고 예상대로 연배도 모두 비슷했다. 10년 만에 처음 개인적으로 참여한 취미활동이라는 설렘에 한번, 동질감을 느끼는 동년배 입도민과 마주한 편안함에 두 번 행복한 날이다.

돌이켜보니 입도 후에는 육아와 재택근무로 인해 스치는 외부인은 온자매들의 선생님과 친구 부모들(어린이집, 학교, 학원), 그리고 동네 몇 분이 전부였다. 그러나 친구 부모님들과는 대면할 접점이 거의 존재하지 않았고 설령 있었다 하더라도 그 찰나의 순간에 지역 토박이 형제자매들 틈바구니를 비집고 들어가 친해질 만큼 나의 친화력이 좋질 못했다. 또 동네 분들은 모두 바다와 밭에서 종일 일하시다가 점심 때 식사하시러 잠깐 들리거나 저녁에 주무시러 집에 오는 통에 얼굴을 마주쳐본 적이 손가락으로 꼽힐 정도다. 그래서 우리 부부는 이웃과의 교류가 순탄치 못했었다.

어쩌다 보니 제주예요.

간단한 통성명이 끝나고 본격적인 첫 수업이 시작되었다. 간단한 이론 수업을 마치고 분배된 흙을 조물조물 펴고 밀기를 반복하다 보니 제법 접시 모양을 갖춰간다. 그리곤 자연스럽게 서로를 칭찬해 가며 대화를 이어간다.

"처음인데 금방 따라 하시네요. 손재주가 좋으신데요. 제주에는 언제 오셨어요? 왜 제주로 오셨어요?"

부산 토박이였던 강사님은 반복되는 복잡한 삶에 지쳐 귀촌해야겠다는 결심을 하고 알아보던 중, 우연히 접한 SNS 부동산경매 광고를 보고 한달음에 제주로 날아와 지금의 땅을 낙찰받았단다. 그리고 지난 1년 동안 다 허물어져 가는 구옥을 손수 개보수해서 가게와 살림채를 장만했다고 한다.

한 분은 5년 전 입도해서 건축업에 종사하다 건축 붐이 사그라져 들 때쯤부터 소품점을 하고 있다고 한다. 또 다른 한 분은 정년퇴직하고 3년 동안 전 세계를 돌며 지내다 한국에 돌아왔는데 갑갑한 도시 생활에 적응하기 힘들어 귀국 1개월 만에 그나마 외국과 가장 비슷한 제주에 내려와 파트타임직과 해외여행을 번갈아 즐기는 프리커족(freeker)이라고 한다. 그리고 마지막 한 분은 제주가 너무 좋아 여행에 그치지 않고 한 달 살기, 일 년 살기를 몇 차례 하다가, 2년 전 이주

해 귤밭에 딸린 창고를 리모델링한 펜션을 운영 중이라고 한다.

지난 10년 동안 만난 입도민들의 이주 동기도 이분들과 별반 다르지 않았다. 내 나름대로 정리해 본 이주 유형은 5가지다.

□ '제주가 그냥 좋아요'형: 한라산, 바다와 오름, 그리고 올레 등으로 이어지는 여행을 거듭하면서 또는 대중매체에서 접한 제주 삶을 동경해서 온 경우

□ '자연과 함께하고파요'형: 청정 제주에서 건강을 되찾기 위해(또는 그 반대의 이유: 마감하기 위해), 자연인으로 살고 싶어 온 경우, 복잡한 도시 생활로부터의 도피, 또는 해외로부터 귀국하거나 해외로 출국하는 과정에서 종착 거주지로 바로 가기에는 부담스러워 간이역으로 머무르는 경우

□ '자녀 교육이 중요해요'형: 국제학교 입학, 과도한 학업 스트레스와 치열한 경쟁에서 벗어나 천혜 자연에서 자유롭게 양육하고자 온 경우

□ '직장 때문에요'형: 직장 이직(건설업 종사자, 군인 가족, 공무원, 그 외), 새로운 직업이나 사업을 도전하고자 온 경우(숙박업, 요식업이 가장 많았고, 농·어·임업이나 문화 관련 자영업이 그 뒤를 잇는 것 같다)

□기타: 귀향 등

그러나 아쉽게도 내 경우는 이런 일반적인 자기 의지형 보기들에 해당하지 않았다. 제주에서의 자유로운 삶을 동경해 오시던 시아버님께서 궁극에는 건강상의 이슈가 생겨 버킷리스트(bucket list)로 제주 이주를 결정하였고, 효자였던 아들은 갓 일군 가정을 이끌고 자의 반 타의 반 제주도민이 되었다. 평소 나는 어릴 적 시골 생활을 그리워했었는데, 늦은 나이에 결혼해 어렵게 엄마가 된 후 아이들을 위해 서울 근교 전원생활을 꿈꾸었었다. 그러나 사람은 서울로, 말(馬)은 제주로 보내야 한다는 서울 토박이 시부모님과 남편의 강한 의지에 그 꿈을 포기했었다. 그런데 어느 날 갑자기 그냥 먼 시골도 아닌 유배 섬 제주에 만삭의 몸으로 떠내려왔을 때의 충격은 지금도 다시는 떠올리고 싶지 않다. 그래선지 지난 10년 동안 입도 동기에 대해 가볍게 대화할 때면 내 차례가 가까워질수록 나도 모르게 굳어지는 표정을 숨기기 위해 구체적인 대답을 회피하거나 '어쩌다 보니 제주예요'라고 간단히 말하곤 한다.

그런데 신기하게도 오늘은 평소와 달리 기나긴 이야기를 피하거나 숨길 생각 없이 간단히 한 마디로 대답했다. '부모님께서 제주로 이주하시면서 함께 오게 됐어요'라고.

다시 올라갈 계획이 있나요?

두 번째 도자기 체험 프로그램이 있는 오늘은 다들 첫 만남과 달리 안색이 좋지 않다. 고요함 속에서 10분쯤 수업이 진행되었을까 강사님이 한숨을 내뱉으며 참았던 운을 뗀다.

"죄송한데, 오늘은 수업하기 힘든 날이네요. 실은 옆 가게에서 세 들어 살던 분들이 수업 시작 조금 전에 떠났어요."

얘기인즉 옆 가게 세입자가 주인 몰래 일자리를 찾아 제주에 들어온 외국인들에게 뒤편 쪽방을 월세 주었는데, 장사가 잘되지 않자 얼마 전 야반도주를 했고, 밀린 가겟세를 받으러 온 주인이 이를 알게 되어 처리하는 과정에서 명도 관계를 밝히지 못한 세입자들이 결국 쫓겨나다시피 집을 비워주고 떠났다는 것이다.

"아…. 남 일 같지 않네요. 실은 저도 오늘 비슷해요. 1년 반 전 지금의 소품점을 4년 연세(제주도에서 통용되고 있는 부동산 임대방식으로 1년 치 월세를 한꺼번에 먼저 내는 방식)로 계약해서 제 건물처럼 손수 인테리어 시공을 하고, 조경도 가꿔서 이제 관광객들에게 입소문이 나기 시작했는데, 건물주한테 2년이 되는 5개월 뒤에 임대를 종료하자는 얘기를 들었어요. 물론 전 합법적인 임대계약서가 있으니까 4년을 채우기 전에 나갈 생각은 절대 없어요. 그런데 힘이 빠져요. 좀 잘되면 비슷하게 만들어서 바로 옆에서 팔고, 건물에서 쫓아내고 자기가 그 컨셉 그대로 이어 장사하고···. 이런 경우가 많다더니 제가 당하게 생겼어요. 제주에 계속 있으려면 빨리 제 땅을 사야겠어요."

속내를 풀어내고 나선 지 조금 편안해진 소품점 아저씨가 헛웃음을 지어 보인다.

정말이다. 서울에서도 비슷한 경우의 이야기를 몇 번쯤은 들어본 적이 있지만. 입도 후 이런 일들은 비일비재하게 들린다.

"그래도 어쩌겠어요. 또 살아내야지요. 땅 없고 집 없는 설움은 어디나 마찬가지잖아요. 혹시 이런 일 있다고 다시 육지로 갈 생각하는 건 아니죠?"

무거운 이야기를 먼저 꺼낸 게 미안했던 강사님이 소품점 아저씨를 다독이며 말을 이어간다. 다행히 이런 일로 제주를 떠날 계획은 아직 없으며 특별한 일이 없는 한 제주에서 살 거란다. 강사님과 펜션 주인분도 여기가 종착지라 여기고 있다는 대답에 자연스럽게 주제가 옮겨 갔다.

그런데 나는 유독 그 주제에 머물러 있다. 우리는 어쩌지?

계절이 바뀔 때마다,

그리고 귀농 자금 2억 대출로 산 5,000평에 온갖 농사 실패하며 고생 고생하다 갑자기 리조트 짓겠다는 귀인에게 100억에 팔고 서울에

빌딩 사서 올라간 이씨 아저씨네, 바리스타와 셰프로 여러 가게를 전전하다 건축 현장까지 두들겼지만 결국 일자리를 구하지 못해 떠난 강씨 청년, 먼저 자리를 잡고 나서 부인과 아이들을 데려오겠다며 신축 펜션을 개업했다가 얼마 못 가 코로나 역풍을 맞고 결국 일어서지 못하고 빚만 잔뜩 지고 떠난 최씨 아저씨네, 매일 앞바다에서 낚시를 즐기시다 갑자기 뇌졸중으로 쓰러져 아들 내외가 모셔간 김씨 할아버지네 등⋯. 알던 입도민들이 육지로 돌아가는 걸 수없이 보면서 남편과 내가 항상 결론을 내지 못하는 주제다.

남편은 처음 입도 동기였던 아버님이 이제 계시지는 않지만, 굳이 떠날 이유를 아직 찾지 못했고 떠나더라도 갈 곳을 정할 때까지는 여기에 남아 살아가야 한다고 한결같이 대답한다. 반면 나는 처음 몇 년간은 무조건 유배지에서 탈출하고 싶은 마음뿐이었다. 그러다 시간이 지나 점점 적응해선지 당장 떠나야 할 이유가 약해지면서 막연히 그냥 떠날 때 되면 떠나야겠다는 생각으로 바뀌고 있다. 그리고 이럴 때마다 그 떠날 때의 기준이 무엇이어야 할지에 대해 고민한다.

2장.

진짜 제주를 배울 팁!

다들 우리 마당만 좋아해요.

"엄마, 우리 집은 핫플(Hot place 줄임말)인가 봐요! 다들 우리 마당만 좋아해요."

"응? 친구들이 우리 집을 알아? 네가 말했어? 왜 우리 집이 좋대?"

"아니. 친구들 말고요. 우리 집 화단에 도마뱀 가족이랑 사마귀, 대벌레, 메뚜기, 공벌레, 무당벌레, 거미, 풍뎅이, 나비, 잠자리, 꿀벌도 살고, 반딧불이랑 꿩도 놀러 오고, 마당에는 지네도 있고, 뱀도 있고, 대박 큰 바퀴벌레도 한 번씩 나오고, 길 고양들이랑 동네 개도 놀러 오고, 엄마가 좋아하는 섬휘파람새도 있고, 또 뭐가 있더라? 아무튼 다들 우리 집만 좋아해요. 그래서 친구들한테 자랑했어요. 그래서 나 우리 반 인싸(insider 줄임말) 됐어요."

"어…. 그렇구나."

아직 해가 쨍쨍한 주말 오후, 빨래를 걷다 말고 앞마당에 내려앉은 섬휘파람새를 감상하고 있는데 라온이가 살금살금 다가와 말을 건넨다. 혹시나 라온이 친구들이나 부모들이 지네, 뱀, 바퀴벌레가 우글거리는 집에 살고 있다고 생각하면 어쩌나 싶어 걱정인데 라온이 표정이 너무 진지하고 해맑게 뿌듯해해서 더 이상 물어보지 못했다.

라온이 말처럼 우리 집 마당에는 온갖 벌레와 동식물이 살고 수시로 놀러 온다. 아마도 주변이 온통 밭이고 아이들 때문에 농약도 치지 않기 때문인 듯하다. 온자매 아빠가 바바 잔디 깎는 것을 잊어버리기라도 하면 잡초가 한 달 새 어른 허리만큼 커 버려서 우린 마당을 '정글'이라고도 부른다(특히 고사리 장마와 여름 장마가 끝난 직후).

처음 입도하고 마당에서 1m 이상 올라온 중간 테라스에 이어 집 안에서까지 지네랑 상상 초월 대형 바퀴벌레 실물과 맞닥뜨렸을 때를 회상하면 지금도 심장이 두근거린다. 특히 라온이가 5살 때 겪은 일은 우리 가족 모두에게 트라우마였다.

그날은 자고 일어나 등원 준비를 하던 라온이는 자꾸 오른쪽 귀가 가렵고 소리가 난다고 평소 안 하던 짜증을 부렸다. 그런데 무심하고 철없던 엄마는 귀지가 있나 보다고 귀지는 억지로 빼는 게 아니라며 아이를 달래서 등 떠밀다시피 서둘러 등원시켰다. 그리곤 점심때가 지나서 집에서 정신없이 온라인 회의를 하고 있는데 어린이집 선생님이 전화를 주셨다. 부재중 문자를 보냈는데도 계속 연달아 전화하셔서 무슨일이 생겼구나 하고 급히 연락을 드리니 일단 당장 어린이집으로 오는게 좋겠다고 한다.

"무슨 일 있나요? 어딜 다쳤나요?"

"어머님, 놀라지 말고 들으세요. 좀 전에 라온이 귀에서 지네가 나왔어요. 저희도 놀라서 정신이 없네요. 지네는 잡아서 죽였고 라온이도 놀랐는지 계속 울고 있어요. 아프냐고 물어보니 고개를 흔들고 대답은 안 해요. 귀에서 피가 흐르지는 않는데 지네 몸에 피가 묻어 있어요."

상상도 못 할 청천벽력 같은 소리에 남편을 불러 슬리퍼 차림으로 뛰어나갔다. 어떻게 남편이 운전해서 도착했는지 기억도 나질 않았다. 도착하고 보니 다행히 라온이는 진정돼서 선생님께 안겨 있었고 그 와중에 내게 자랑 아닌 자랑을 했다.

"엄마! 내 귀에서 지네가 나왔어! 우리 선생님이 소리 질러서 주방 선생님이 슬리퍼로 때려잡았다! 한방에 꽥했어. 그리고 이제 귀에서 소리 안 나."

자초지종을 들어보니 평소와 달리 라온이가 불편한 기색을 했고, 점심도 잘 먹지 않았다고 한다. 평소 의사 표현이 분명한 아이였기에 아픈 곳도 없다고 해서 그냥 지켜봤단다. 한참이 지나도 귀에서 소리가 자꾸 난다고 낮잠도 자지 못하고 뒤치락거려서 억지로 재우지 않고 선생님이 따로 데리고 나와 옆 반에서 머리를 다시 매만져주셨는데 갑자기 귀 옆에서 지네가 툭 떨어졌단다. 처음엔 튀어나온 지네에 놀라 귀에서 나왔다고 생각을 못 했고 근처에 있던 주방 선생님이 뛰어와 잡았단다. 그런데 잡고 보니 지네 몸에 피가 있고 라온이 귓가에도 피가 묻어 있어 놀라 내게 전화하셨단다.

놀란 마음을 간신히 부여잡은 채 급히 수소문해서 문 닫기 직전의 시내 이비인후과를 찾았다. 이미 접수가 마감되었지만 1시간이나 달려온 데다가 상황 얘기를 하며 부탁하니 고맙게도 진료를 해주셨다. 어린이집에서 찍어 보내준 지네 사체 사진을 보여드리니 선생님도 입도 11년 만에 처음 보는 사례라고 걱정하셨는데 다행히 고막 등 귀에는 이상이 없었고 입구 근처 안쪽 피부만 조금 긁힌 상태였다. 지네 새끼인 데다가 이미 1시간 이상 지났는데 특별한 증상이 없는 것으로 봐서는 독성도 없어 보여 큰 병원에는 안 가도 될 듯하다고 약 처방만 받고 집으로 돌아왔다. 다행히 라온이는 무용담을 즐기며 친구들과 언니들에게 용감한 아이가 된 것에 자랑스러워했지만 한동안은 잠잘 때 귀를 막고 싶어 했다.

그 일을 겪은 후 우리 부부는 집안의 모든 구멍과 빈틈이란 빈틈은 3중 아니 4중으로 막았고, 온갖 해충제를 종류별로 써보고 최종 정한 지금의 해충제를 주에 최소 2~3번씩, 장마철이나 비가 올 때는 최소 1일 2회 이상) 뿌리고 나서야 가뭄에 콩 나듯 중간 테라스에서 널브러진 사체와 만날 뿐이다.

우리 집은 관광지가 아니에요!

얼마 전 귀촌 모임에 갔다가 제주가 관광 섬으로 인식되는 통에 생기는 불편함에 대한 토로가 벌어졌다.

"제주가 다 옆 동네인 줄 알아요. 놀러 온 동창이 한림에 살고 있는 저더러 점심 식사 같이하자고 성산으로 잠깐 오래요."

"아니, 친구들이랑 친척들이 놀러 오면 우리 집이 호텔인 줄 알아요. 숙박비 비싸니까 우리 집에서 며칠 쉬다 가겠대요. 심지어 렌터카가 너무 비싸다고 우리 차 빌려달라는 애들도 있어요. 저는 출근 안 하고 애들 픽업 안 하나요?"

"저도 비슷해요. 그리 친하지 않은 친구네가 제주 온다고 저더러 가이드하고 밥 사래요. 제가 서울에 놀러 가면 그 친구는 가이드 안 해주고 밥 안 사요. 아니 일부러 만나는 사이 자체가 아니에요"

"저흰 펜션이잖아요. 말해 뭐해요. 언제 방 비냐면서 돈도 안 내고 그 날짜에 꼭 비워달라거나 예약 없을 때 무료로 재워주고 밥 달래요."

"아는 사람들도 문제지만, 모르는 사람들은 더해요. 지난달에 거실에서 아기랑 저랑 낮잠 자고 있는데 정원에서 소리가 나서 쳐다보니까 어떤 커플이 정원에 들어와서 사진 찍고 꽃 꺾어가며 아주 비디오를 찍고 있더라구요. 금방 가겠지 하고 참았는데 한참을 안 나가더라구요.

무서워서 창문만 살짝 열고 여기 개인 집이라고 소리쳤더니 아무 대꾸도 없이 계속 사진 찍고 놀고 있어요. 남편한테 전화하고 경찰에 신고할까 고민하다가 용기 내서 빨리 나가달라고 소리쳤더니 네네 대답만하고 사과도 안 하고 또 어영부영 하더라구요. 못 참고 경찰에 신고했다고 했더니 씩씩거리면서 쌍욕하고 정원에 있던 의자랑 테이블에 발길질하더니 나가더라구요."

"놀랐겠네요. 우리 집에도 들어와서 사진 찍고 가는 사람들 자주 봐요. 근데 해코지할까 봐 무서워서 못 나가겠더라구요. 그래서 밖에서 안이 안 보이게 돌담 더 높이 다시 쌓고 CCTV 달았어요."

"저는 「카페 아님! ***네 가족이 아니면 들어오지 마시오」라고 나무 도마로 팻말 만들어서 붙여놓았어요. 근데 그게 귀엽다고 그 앞에서 사진 찍고 가요. 그래서 포기하고 집 안으로 안 들어오는 것으로 만족하고 있어요"

"저희 농장에는 도둑이 찾아와요. 사진만 찍고 가면 될 텐데, 담벼락 옆으로 따서 먹다가 버린 귤들이 천지예요. 심지어 저희가 있는데도 그러고 있는 사람들도 있어요. 뭐하냐고 여기 주인 있다고 했더니 인심야박하대요. 맛보고 사려고 했는데 이래서 장사하겠냐고 난리 치는 사람도 있었어요. 여긴 과일가게 아니고 우린 직거래도 안 한다고 했더니 이따위니까 농사나 짓고 살고 있대요."

"저희 집에도 정원에서 화산 송이랑 소라껍데기, 현무암 주먹 돌 집어 가는 사람들 종종 있어요. 그래서 입구 쪽은 휑해요."

당연히 모든 사람이 다 이런 건 아니지만 제주 도민이라면 이런 불편감이나 원망들은 어렵지 않게 듣거나 한 번쯤은 경험해 본 경우가 많을 것이다.

아무튼 모임 끝자락, 서로를 위해 지인들에게 그들처럼 우리도 그냥 여기 있는 우리 집에서 평범하게 살고 있을 뿐임을 확실히 하고 분명하게 선을 긋자는 것으로 결론을 냈다. 내 경우에도 내가 서울에 살았더라도 재워주고, 밥 사주고, 차 빌려줄 지인(가족 포함) 등이라면 똑같이 여기 제주에서도 해주고 아니면 아니라고 한다.

그리고 개인적으로 기회가 된다면 현수막을 걸고 싶다. 「제주는 관광지입니다. 하지만 모든 제주가 관광지는 아닙니다!」라고.

실프다가 뭔지 알아요?

"언니, 오전에 비 억수로 오는데 애들이 짜장면 먹고 싶다고 해서 중국집 갔다가 왔거든요. 홀딱 젖어서 씻기고 옷 갈아입히고 좀 쉬려고 하는데요. 막내가 핸드폰을 화장실에 빠뜨린 거예요. 그래서 내일 일어나자마자 제주시 서비스센터 가야 해요. 너무 실퍼요. 어쩌면 좋아요."

"그래. 힘들겠네."

"언니, 근데 내 말 이해했어요? 실프다가 뭔 말인지 아세요? 언니 이제 완전 제주 사람 다 됐수다~"

애들 친구 엄마와 통화를 하는데 외국어 듣기 평가처럼 제주어 질문이 훅! 들어온다. '핸드폰 사준 지 얼마 안 됐는데, 생각지 못한 수리비까지 나와서 슬플 수 있지. 그런데 애가 실수로 그런 걸 어째'하고 별생각 없이 듣고 있었는데, 알고 보니 '슬프다'가 아니라 '실프다'라고 말했고 이것은 '귀찮아서 짜증 나고 싫다'라는 뜻이라고 한다.

소싯적 서울에서 직장생활을 하면서 수많은 전국 팔도의 사람들을 만나다 보니 웬만한 사투리는 대충 그 의미를 근사치로 짐작할 수 있었다. 그런데 유독 제주어는 단어뿐만 아니라 문장 전체를 90% 이상 이해하지 못하는 경우가 대부분이었다. 제주에 입도하고 처음 옆집 할아버지 내외와 이야기할 때도 99% 이상을 못 알아들은 적이 대부분이었다. 일부 전라도에서 쓰는 단어 몇 개와 접두사만 알아들을 뿐이어서 내용 유추가 힘들었음은 당연하고, 끝말의 높낮이로 물어보는 말인지 아닌지를 구분하는 정도로 그쳤다. 그런데 근래에 들어 제주 토박이인데도 불구하고 40대 이하에서는 제주어(단어, 어조, 말투 등)를 윗세대만큼 사용하는 사람들이 많지 않을뿐더러, 20~30대 이하의 경우에는 일상 대화에서 단어나 끝맺음 말을 제주어로는 잘 말하지 않거나(토박이 친척이나 동창생들을 만나는 경우만 사용하는 경우를 일부 보기는 함. 대부분은 알아듣기만 하는 정도인 듯) 아예 그 의미를 잘 모르는 경우도 여럿 본 적이 있다. 또 아이들 친구들의 경우에도 제주어 어휘를 아예 모르는 경우가 적지 않고, 일부 억양이나 어조 정도만 주로 사용할 뿐 대부분은 교과서에서 나오는 표준어를 사용하고 있는 것 같다. 그래서 제주도에서는 제주어 소멸을 방지하기 위해 제주어 수업을 진행하는 학교가 많은데, 온자매들 초등학교의 경우를 보면 대부분 단순 낱말 익히기나 노래 따라 부르기에서 그쳐 효과는 미비한 것 같다. 아무튼 자주 쓰는 제주어 낱말이나 문장 몇 개의 정도는 알아두는 게 제주살이에 도움이 많이 된다. 어떻게 시작해야 할지 모르겠다면 지역이나 버스 정류장 이름 위주로 그 뜻풀이를 알아두는 걸 추천한다.

그리고 제주에서 얘기하다 보면 오해의 소지가 있는 '육지 것들'이란 말을 들을 때가 적지 않다. 그동안 경험한 바로는 '육지 것들'에는 두 가지 의미가 있다. 글자 그대로 무시하는 욕설로 쓰는 경우(흔히 말하는 텃세를 부릴 때 주로 사용함)와 단순히 육지인(또는 이주민)을 통칭하는 경우이다. 그래서 혹시라도 이런 소리를 듣게 되면 상황에 따라 해석하면 되는데, 어느 쪽인지 혼란스러운 경우가 더 많은 것 같다. 그럴 땐 그냥 토박이가 아닌 경우를 통칭해서 부르는 사투리라고 여기고 넘기는 걸 추천 한다.

나도 주말엔 친척 집에서 자고 싶어요

"엄마, 내일 예지네 제사여서 큰 아빠네랑 사촌들이 놀러 온대요. 그리고 민희네는 외할머니집에 저번 주에 갔다 왔는데 이번 주도 간 대요. 나도 주말엔 친척 집에서 자고 싶어요. 아니면 우리 집에 담희 언니랑 큰이모가 놀러 왔으면 좋겠어요. 왜 우리 집에는 아무도 안 와요?"

"친구들이 부러운 네 마음은 이해해. 아쉽지만 섬인 제주에 우리만 살고 있으니 어쩔 수 없어. 대신 친구들은 육지에 자주 못 가고 가더라도 갈 친척 집이 거의 없잖아. 그런데 우린 외갓집도 있고, 이모들이랑 외삼촌들도 있고, 고모들도 있잖아. 친척들이 가까운 곳에 있어도 다들 바빠서 자주 만나기는 힘들단다. 그리고 친구들은 친척들이 한 번씩만 자고 가지만, 우리는 한번 가면 기본 일주일씩은 다녀오잖아."

온 자매들의 친구들은 제주 토박이들이 대부분이어서 친구들이 가까운 친척들과 수시로 왕래한다는 얘기를 들을 때마다 아이들의 볼멘 질문과 내 대답은 되돌이표다. 실은 나도 육지의 가족과 친구가 그립고 보고 싶은데 아이들은 오죽할까 싶어 이해가 가고도 남는다. 특히 가족 중에서 가장 막내들이라 어딜 가나 귀염받는지라 더 그립고 부러워하는 아이들이 오늘도 안쓰럽다. 제주가 섬만 아니라면 밤이고 낮이고 보고 싶을 때, 가고 싶을 때 언제든지 달려가고 올 수 있을 텐데, 정해진 비행기와 배편 시간이 아니면 떠날 수 없다는 사실이 너무 아쉽고, 휴가나 명절이 되면 매진되고 비싸지는 교통편 때문에 매번 육지 가족과 함께하기가 쉽지 않다는 현실이 대표적인 제주의 서글픔 중 하나이다.

그리고 제주는 육지보다 예전 시골 풍습들이 많이 남아 있어서 제사 등의 경조사가 자주 있고, 그 기간도 길어 친척들끼리 얼굴을 보고 어울리는 횟수 잦다. 아이들의 어떤 친구네는 1년에 제사만 20~30번이고, 그 제사 때마다 매번 가족들 아니 친척들이 모두 참석하고 음식 준비도 함께한다고 해서 깜짝 놀란 적이 있다. 그나마 다행인 것은 종손이나 장남 집에서만 제사를 전담하는 것이 아니라 형제들끼리 나눠서 지내는 경우가 흔하다는 점이다.

크게는 아프지 말자!

"엄마, 오늘도 유치원에서 수업하는데 빙글빙글 돌았어요. 급식 먹으러 가는 길에서도 조금 그랬어요. 선생님이랑 양호실 갔다 왔는데 집에 가서 엄마한테 말하래요."

"그래. 선생님께서 연락하셨더라."

그해 겨울 라온이 한 번씩 어지럽다고 말했는데, 생각해 보니 더 어릴 적부터 말했던 것 같다. 곧잘 자기 의사 표현을 분명히 하는 아이기는 했지만, 아직 어릴 적일 때라 아픈 것이나 멀미랑 착각하는 거라고 여기고 그냥 듣기만 했었다. 물론 토하거나 처지거나 하는 특별한 증상 없이 잘 놀고 잘 먹고 잘 웃는 아이였기 때문에 더 그렇게 대응하기도 했다. 그런데 커가면서 좀 더 자주 어지럽단다. 그러더니 지난 1~2주일 동안은 매일 수시로 어지럽단다.

이비인후과에서는 귀의 문제는 아닌 것 같으니 걱정되면 소아과나 신경과를 가보라고 한다. 1시간을 달려 제주시에 있는 소아과 를 찾았다. 결론은 아이가 어려 말하는 걸 그대로 믿는 게 한계가 있고 빈혈도 없어 단순히 진찰할 게 아니니 큰 병원에 가서 신경과 전문의를 만나보라며 소견서를 써줬다. 그걸 들고 대학병원에 갔는데 소아 전문 신경과 의사가 며칠 뒤 퇴사할 거라서 처음 오는 환자는 받지 않는단다. 인근 종합병원들에 연락하니 모두 아이가 어려서 일반 신경과 진료만 보는 자기 병원에서는 진료가 힘들다고 MRI도 찍어야 하니 육지로 가보란다. 결국 급히 육지 병원들을 알아보다 또 여기저기 돌아다니느니 전국 최고의 병원 중 하나로 손꼽히는 서울대병원에 예약하고 아이 손을 잡고 비행기를 탔다. 우여곡절 끝에 도착한 병원 진료대기실 앞에는 한눈에 보기에도 중증 치료가 필요해 보이는 아이들과 부모들이 가득했다. 예약 시간이 훌쩍 지나 만나 뵌 선생님은 걸어보고 뛰어보라는 등의 간단한 진찰을 하시고 뭐 이 정도로 제주에서 서울까지 진료를 보러 왔냐고 반문하시며 나를 위-아래로 보신다. 건강염려증에 빠진 우둔한 엄마로 여기셨나 싶다. 아무튼 더 전문 검사를 해도 특별한 이상이 발견될 것 같지 않으니 좀 더 지켜보자고 하셨고 동네 인근 병원에 가서 지켜봐도 된다고 하신다. 그러나 전문의가 없어, 그리고 아이 진료를 봐주겠다는 병원이 없어 여기까지 왔다고 다시 한번 부탁하니 마지 못해 다음 예약을 해주셨다. 그 뒤 6개월 동안 2번의 진료를 더 보고 나서(물론 단순 진찰 이외에 혈액검사나 MRI 같은 전문 검사는 받지 않았다), 성장하면서 대부분 자연스럽게 없어질 테니 다른 증상이 나타나기 전까지는 더 이상 병원에 오지 말고 잊고 살아도 된다는 결과를 받았다.

그 후 2년째, 여전히 가끔 어지럽다는 이야기를 들으며 지켜보는 중이다. 그리고 여전히 제주에서는 소아신경과 전문 진료를 받기가 어렵다. 10년 전 제주에 입도해야 한다는 것을 받아들였을 때 제일 걱정되는 부분이 서울보다 빈약한 의료환경이었는데 역시 지금까지 가장 불편한 것도 이 부분이다. 그러나 대부분 조금 멀리 떨어졌기는 하지만 전문의들이 계속 늘어나고 있어서 점점 나아지는 중이다. 물론 중증 전문 치료가 필요할 때 찾아갈 믿을 만한 종합병원은 아직 없다는 게 한계라서, 이런 경우가 발생하지 않도록 미리미리 사전에 관리하는 것이 상책이다. 주변의 토박이들도 비슷하게 생각하는지, 위급하거나 중증인 상황이 생기면 부산이나 서울 등의 육지로 나가는 게 대부분인 것 같다.

해물 꽃게탕이랑 조개구이가 먹고 싶다.

"꽃게탕 먹는 거 나온다. 살아있는 꽃게 그냥 막 찌기만 해도 엄청 맛있는데 어쩜 좋아. 조개랑 대하도 구워 먹어. 너무 먹고 싶다."

저녁 식후 TV를 보던 나는 식욕이 폭발해서 검색하고 또 검색한다. 그러나 그렇게 매번 찾아간 곳들은 터무니없이 비싸거나 형편없었다.

제주로의 이주가 결정되었을 때, 고향이 전라도 서해안 근처인 데다가 해산물을 좋아하던 나는 제주에 오면 고향 집이나 서울보다 더 자주 그리고 많이 해산물을 먹을 수 있겠다고 생각했었다. 그러나 막상 도착한 제주에는 거짓말 조금 보태 돼지고깃집(구이 또는 수육)과 횟집이 전부였다. 제주와 육지 해안가(또는 섬)에서 포획하는 해산물은 달라 뿔소라, 전복, 해삼, 성게, 양식 새우 생물은 어디서든 흔히 구할 수 있었지만, 게와 조개류는 육지에서 항공편으로 들어오는 경로로만 생물을 살 수 있었다.

그리고 내가 느끼기에, 제주에서는 돼지고기가 흔하고 신선하고 좋아해 맛집이 많은데, 쇠고기를 찾는 사람들이 많지 않아 맛있는 음식점이나 정육점이 거의 없다.

또 주꾸미, 낙지 생물로 하는 샤브샤브나 숙회(또는 산채로)가 육지에서는 인기가 있는데, 제주에서는 한치, 문어가 인기가 있고 흔하다. 특히 우리나라에서는 수입 건조 한치만 먹을 수 있는 줄 알았는데,

입도 후 처음 한치회를 맛보고 그 부드러운 고소함에 얼마나 환호했는지 모른다. 또 제주에서는 바지락, 백합 등의 조개류, 대하, 꽃게 대신 전복, 딱새우, 뿔소라를 주로 먹고, 육지에서는 흔하지 않은 고등어, 갈치, 돔 종류(특히 자리돔, 벵에돔), 방어 또는 부시리를 횟감으로 먹는 걸 좋아한다. 육지에서는 흔한 멸치국수(또는 잔치국수), 바지락(또는 팥) 칼국수 대신 제주에는 고기국수, 밀면, 메밀국수, 보말칼국수가 흔하고, 별미이다.

그리고, 예전에 제주 농산물은 감귤류, 당근, 무 정도만 들어봤었는데, 그 외에도 양배추, 브로콜리, 콜라비, 비트, 콩 등 많은 작물이 4계절 내내 수확돼서 육지로 보내진다는 것은 여전히 새롭다. 특히 메밀(강원도가 아님), 마늘(의성 등이 아님)의 최대 생산지가 제주였다니 생각지도 못한 일이었다.

또 제주는 고춧가루나 고추장 대신 된장을 기본으로 조리하는 요리가 대부분이다. 특히 토박이들이 여름에 절대 없어서는 안 되는 식당 기본 반찬으로 여기는 된장 미역냉국은 여전히 생소하고 적응이 쉽지 않은 음식이기도 하다. 육지에 비해 조리법이 다양하지 않고 반찬도 다양하지 않다고 생각된다. 섬의 특성상, 먼 육지와 교류도 힘들고, 식량이나 물이 부족했고 따뜻한 기후 탓에 언제든지 신선한 채소와 해산물을 얻을 수 있었기 때문이라고 어디선가 들은 기억이 난다(아마도 지역문화 탐방에서).

그 외에도 같은 나라지만 식재료와 조리법 등 음식문화가 육지와는 차이가 있다는 것을 이해하고 익숙해지는 데 몇 년이 걸렸다. 이래서 제주 입도가 아닌 제주 이민이라고 말하는 듯하다.

아무튼 이젠 더 이상 한정식, 생물 꽃게탕(또는 꽃게찜), 조개구이, 팥죽은 제주에서 찾지 않고, 육지에 갈 때마다 먹고 온다(또는 먹고 싶어서 겸사겸사 육지에 다녀오곤 한다).

3장.

엄마는 처음이라….

그저 같은 날 태어났을 뿐이에요.

"어머, 딸들이 아꼽네요(귀여워요). 네가 큰 언니구나. 동생들이랑 이거 먹어보렴."

"아니요. 제가 첫 번째예요. 제가 키는 작지만, 나이는 얘랑 똑같아요."

"아…. 미안하다…."멋쩍게 대답하고 나선 옆 사람에게 소곤거리는 아줌마를 보고 기분이 찝찝했는지 시식 쿠키를 받아든 첫 번째 큰 딸인 가온이가 뒤돌아서서 다시 말을 잇는다.

"저흰 같은 날 태어난 쌍둥이예요. 제가 먼저 태어나서 언니예요."

얼마 전 오랜만에 놀러 간 바닷가 플리마켓에서 있었던 일이었다. 온둥이들(가온, 다온)은 언젠가부터 쌍둥이라고 불리는 것을 좋아하지 않았다. 이는 쌍둥이라고 티 내고 똑같이 옷 입히는 것을 부단이 싫어하는 내 탓이기도 하다.

나는 온둥이들에게 배냇저고리 적 이후부터는 되도록 다른 옷으로 입혔고(선물 받은 옷 이외에 내가 똑같은 옷을 일부러 두 벌 사서 입히는 일은 없었다), 누가 물어보기 전에는 굳이 쌍둥이인 것을 말하지 않았다. 그도 그럴 것이 쌍둥이라고 하면 초면인 사람들도 누가 언니냐, 이란성이어도 너흰 쌍둥인데 왜 다르게 생겼냐, (완전히 다르게 생겼는데) 똑같이 생겨서 쌍둥이인지 물어보려고 했었다. 왜 똑같지 않고 네가 더 크냐 등등 직간접적으로 아이들에게 질문이 많아지는 것도 신기하게 쳐다보는 것도 부담스러웠고, 단지 같은 날 태어났을 뿐 다른 아이들인데 같은 아이 취급하는 것도 싫었다. 또 나이는 같지만 먼저 나왔으니, 언니라고 해야지 또는 아무리 쌍둥이라도 서열이 중요한 건데 왜 야라고 부르게 그냥 두냐는 등 어른들의 훈수도 달갑지 않았다.

온둥이들은 처음 말을 시작할 무렵 관심받는 것이 즐거워 누가 물어보기도 전에 '우린 쌍둥이예요. 제가 먼저 태어나서 언니고, 제가 나중에 태어나서 동생이에요'라며 싱글벙글 소문내고 다녔었다. 그런데 자기 정체성이 생기고 나서는 사람들의 시선이 불편한지 엄마의 의지에 동의하는 건지 누가 물어보기 전에는 먼저 쌍둥이라는 말을 꺼내는 법이 거의 없다. 이름은 비슷하지만, 얼굴은 물론 행동이나 성격, 옷 입는 스타일도 다른 데다가 학교에서의 반도 매번 다르게 배정받다 보니 대부분 먼저 설명하기 전에는 둘이 자매인 걸 알지 못했다.

아무튼 나는 온둥이들이 서로에게 태생부터 평생 좋은 자매 겸 친구가 되겠지만 반면에 비교 또는 경쟁 대상도 될 테니 이것 때문에 받을 스트레스로 힘들지 않았으면 한다. 그래서 어릴 적부터 자연스럽게 서로 다름을 인정하고 각자의 삶을 살도록 키우겠다고 결심했다. 이런 내 의지에 온자매 아빠도 동참했고, 우린 그렇게 계속 키우고 가르치고 있다. 온둥이들은 같은 날 태어난 자매이자 친구일 뿐이라서 언니-동생으로 여기거나 부르지 않는다. 단, 다른 사람들에게는 혼동을 줄 수 있으므로 다른 사람들이 물어볼 때, 구분하는 목적으로는 사용한다. 집에서의 서열은 첫 번째 큰딸 그리고 두 번째 큰딸로 똑같다. 그래서 '언니'라는 단어 없이 서로를 이름만으로 부른다.

그런데 별거 아닌 이런 내 의지 때문에 간혹 황당한 질문이나 의심을 받기도 한다. 그들은 단지 나이만 같다는 말을 이해하지 못하고, 또래 친구들보다 한참 늦깎이 엄마인 내가 재혼했다거나 온둥이들이 이복자매지간이라고 자기 멋대로 판단하거나 의심하는 말을 옮기기도 한다. 초등학교를 입학하고 얼마 안 돼 이런 오해를 받았었는지 온둥이들이 번갈아 가며 배다른 동생이나 재혼이 무슨 뜻인지 물어본 적이 있었다. 그 말의 뜻을 알고 난 후부터 그런 낌새를 느낄 때면 쌍둥이라고 덧붙여 설명하곤 한다.

때론 그러다가 말겠지 하고 그냥 넘겨!

"야! 그거 아까부터 내가 먹으려고 찜해둔 거야. 내놔!"

"네 거라고 언제 말했어? 먼저 앉아서 먹는 게 임자지. 그리고 아직 이렇게 빵이 많은데 다른 거 먹으면 되잖아. 그리고 쪽잡해(비좁아)! 좀 떨어져서 먹어."

"언니, 나를 왜 밀치고 지나가! 돌아가면 됐잖아!"

"어제 너 학원 선생님이 준 약과 먹을 때 나는 안 나눠주고 지은이한 테는 나눠주더라. 너무한 거 아니냐? 난 주말에 내가 만든 쿠키도 나눠줬잖아."

"맞아. 언니도 며칠 전에 나한테는 안 나눠주고 내 친구 희조한테만 먹어보라고 크게 떼서 나눠줬잖아. 난 언니 친동생인데 너무한 거 아냐?"

아침 등교 10분 전인데 아직 옷도 다 못 갈아입은 상태로 실랑이가 끊이질 않는다. 들어보면 큰일도 아닌데 서로 조금만 양보하고 이해 하면 될 것을 학교 갈 준비하는 이 황금 같은 시간에 이게 무슨 일인 지…. 자매들끼리 해결하도록 지켜본다고 참다가 울리는 등교 5분 전 핸드폰 알람 소리에 결국 끼어들어 한 소리 아니 두 소리 하고 만다.

"너희들 지금 이러고 있을 때니? 학교 갈 준비는 모두 마쳤니? 별일 도 아닌데 그냥 그렇구나 이해해주고 넘어가면 안 되니? 크게 다친 것도 아닌데 그냥 미안하다고, 괜찮다고 말하고 넘어가면 안 되니? 엄마도 너희 학교 보내고 일할 준비 해야 하는데 계속 이럴 거니?"

말하다 보니 나도 모르게 점점 짜증이 밀려와서 속사포 랩을 더 퍼붓고 만다.

"이런 일들이 며칠 전에도 있었잖아. 비슷한 일로 반복해서 투닥거리고 엄마한테 혼나고 잔소리 듣고 너흰 힘들지 않니? 혼내는 엄마도 힘들어. 별일도 아닌 일로 싸우고 삐지고 째려보고 결국 누군가는 울고…. 남도 아니고 친자매들끼리인데 그만 좀 다퉈. 그리고 넌 언니들한테 막 대들지 말고, 너희들도 동생한테 함부로 하지 말고!"

이후 한바탕 벌어진 소동은 지각 직전 시간이 임박해서야 후다닥 마무리되고 어떻게 등교를 시켰는지 중간 기억이 끊겨버렸다.

민돌이(아빠 부하이자 막내 라온이 동생인 우리 집 자가용)로 등교시킨 후 아침에 일어나자마자 돌려둔 세탁기에서 빨래를 꺼내고 두 번째 세탁을 다시 시작한다. 그리곤 온자매들이 휘젓고 지나간 거실, 드레스룸, 주방 등을 돌며 정리하고 바닥 밀대 질을 마쳤다. 재빨리 출근 5분 전 시계를 확인하고 책상의 모니터와 노트북을 켠 후 간단히 먹을 곡물 라떼를 가져와 책상에 앉으니 회사 메일 계정 화면이 열린다. 급한 메일을 처리하고 한숨 돌리며 종료된 지 좀 된 2번째 세탁물을 꺼내 널기 시작한다. 저기 보이는 앞 바당(바다)의 파도와 돌담 옆 나뭇가지를 보니 바람이 약간 부는 오늘도 오후가 가기 전에 두 번의 빨래들이 모두 마를 것 같다.

아직 남은 라떼를 들고 마당으로 나와 섬휘파람새 소리를 들으며 잠시 멍때리려고 했는데 시작도 못 하고 아침 상황이 떠올라 방해한다.

'내가 뭘 잘못한 거지?' 남의 집 애들을 보면 볼 때마다 항상 서로 손 잡아주고 껴안으면서 좋아서 어쩔 줄 모르던데, 우리 애들은 왜 다투지? 아니면 어른들 말씀처럼 애들은 싸우면서 크는 건가? 더 싸우게 두고 자잘한 다툼에는 내가 개입하지 말아야 하는 건가? 훈계도 아니고 짜증만 부리는 꼴인가? 육아 채널이나 책이라도 사서 봐야 하나? 등 이런저런 생각이 꼬리에 꼬리를 물고 모두 내 잘못인 것 같기만 해서 어깨가 처진다.

물론 되짚어보면 다툼이 오래가는 건 아니다. 그렇게 싸우다가도 또 언제 그랬냐는 듯이 깔깔거리며 떠들다가, 친구들에게 아이돌 춤을 배웠다며 깡총거렸다가 흐느적거리는? 이상한 동작을 서로 따라 추었다가. 잘못 푼 수학 문제를 애써 가르쳐주고 몰래 아껴둔 간식도 나눠 먹다가, 아빠한테 아이스크림 먹으러 나가자고 조르기 위해 단체

깜찍? 춤도 추었다가, 침대방으로 들어가서 잠잘 시간이 한참 지나 이제 그만 자라는 날 선 엄마의 경고에도 불구하고 이불 속에 숨어서 재잘재잘 속삭이며 시시덕거리고 결국 불려 나와 5분간 단체 줄넘기까지 하고 들어가서도 다시 숨죽여 깔깔대다가 잠들고….

안부 겸 엄마께 전화를 드렸다가 그트머리에 속내를 꺼내 묻는다.

"엄마, 애들이 별일도 아닌데 자꾸 싸워. 밖에 나가면 다른 애들한테는 엄청 다정하게 잘하는데 자기들끼리는 또 별로야. 근데 집에 오면 또 어울려서 놀기는 해. 근데 또 티격태격해. 한 번씩 돌아가며 둘이 뭉치고 나머지를 왕따시키는 일도 있어. 내가 잘못 키우고 있나봐."

"뭔 소리냐. 별일도 아니고만. 애들이니까 그렇지. 그 정도도 안 싸우면 사람이냐? 치고받고 싸우는 것도 아니고, 싸우고 나서 어른처럼 아예 안 보려고 하는 것도 아니고 다시 잘 논다면서! 그럼 정상이지. 걱정도 팔자다. 너야말로 애들 일에 일일이 신경 쓰지 말고 싸우다가 말겠지 하고 그냥 넘겨야지. 너희들은 안 그랬냐? 그렇게 싸우고도 지금 잘 지내잖아. 무슨 일이든 다 지나가. 별거 아니야."

엄마와 통화하고 나니 별일 아닌 일을 내가 별일로 만드는 것 같고, 그 순간 참으면 될 것을 애들에게 짜증만 부린 엄마였던 게 미안하기도 하고 늦깎이 엄마는 오늘도 반성하며 저녁에는 뭘 해먹일지 고민하다가 다시 노트북 앞으로 복귀해 본다.

민폐 끼치지 않는 게 쉽지 않아요.

"올라가는 비행기엔 제발 애들이 없었으면 좋겠어."

"그러게 말야. 내려올 때 그 애 정말 너무 짜증 나지 않았냐? 애 엄마는 도대체 뭐 하는 거니? 그렇게 울고불고 난리 치는 애를 데리고 여행을 오면 어떡하자는 거냐? 그렇게 어릴 땐 아무리 좋은 데로 여행 다녀도 기억 하나도 못 하는 데 참 대책 없어."

"그러니까 노키즈존이 생기는 거야. 시끄러워서 쉬지도 못하고, 정신 하나도 없었어."

오랜만에 탄 버스 뒷자리 20대 여행객 3~4명이 수다 삼매경이다. 아마도 제주로 들어오는 비행기 뒷좌석에 탄 3살? 아이가 내릴 때까지 연신 울어서 많이 힘들었나 보다.

나도 힘들었었다. 결혼 전 공공장소나 식당에서 시끄럽게 떠들고 뛰어다니는 아이들을 보면서 그들을 강하게 제재하지 않는 부모가 무책임하게 보였고 심지어 부모 자질이 없다고 생각하기도 했었다. 그래서 혹시라도 아이를 낳는다면 절대 그런 민폐를 끼치지 않는 아이로 키우겠다고 다짐했었다.

그러나 그 다짐과 정반대로 내 아이들과 내가 비슷한 상황으로 민폐를 끼치고 있다는 것을 깨닫는 순간 낯 뜨거워 얼굴을 들 수 없다.

10년 전 입도하기 위해 만삭의 몸으로 혼자 두 돌이 될 무렵의 온둥이들(가온, 다온)을 데리고 비행기를 탔을 때 일이다. 당시 남편은 사정상 미리 제주에 내려와 있어 동행해주지 못했었고 온둥이들은 두 번째 비행이었다. 가족끼리의 첫 비행에서 수월하게 비행기를 탔었기 때문에 큰 걱정이 없었고 간식도 충분해서 초반엔 아무 문제가 없어 보였다. 그런데 이륙하고 얼마 안 돼 다온이가 배가 불편하다며 짜증을 부리기 시작했고 결국엔 설사를 왕창 해버렸다. 비행기 화장실에 가야 하는데 승무원들이 달래보려 했지만, 가온이가 혼자 있기 무섭다며 같이 가겠다고 난리였다. 결국 두 아이를 데리고 비좁은 통로를 지나 화장실에 도착할 때쯤 경보등이 켜져서 자리로 다시 돌아가야 하고 화장실에도 못 들어간다고 저지당하고 온둥이들은 울기 시작하고. 겨우 사정사정해 화장실 안으로 들어가는데 만삭의 몸으로 비좁은 기저귀 거치대에 다온이를 간신히 올리니 남은 가온이까지 들어갈 공간이 없어 문 밖에 승무원이 안고 있었는데 낯설고 엄마가 안 보인다고 울어 재끼고. 안에선 덜컹거리는 소리와 거치대의 움직임에 놀라 나가겠다고 울며 떼쓰기 시작하는 다온이를 달래가며 한 손과 나온 배로 움직이지 않게 고정한 채 나머지 손으로 아이의 몸을 닦고 또 닦고 바지까지 갈아입히다 보니 배는 뭉쳐 당겨오고 숨이 차면서 등줄기에는 땀이 줄줄 흐르고, 아직 뒤처리를 못 끝냈는데 문밖의 승무원은 걱정됐는지 빨리 나오라고 노크하고.

지금도 당시만 생각하면 아찔하다. 당시엔 다 버리고 주저앉아 울고 싶단 생각과 그 자리에 없는 남편이 미치도록 밉고 세상에 내가 아는 모든 욕을 퍼붓고 패주고 싶단 생각밖에 없었다.

아무튼 간신히 그 상황을 정리하고 자리로 돌아왔는데 이번엔 가온이 차례였다. (그땐 정말 그 현실을 부정하며 자리에 드러눕고 싶었다.) 아이들이 너무 울어서 짜증내는 승객들이 나오기 시작했고 승무원들은 비상이었다. 좀전의 상황을 아이만 바꿔서 다시 한번 더 거치고서야 화장실 사건이 마무리되었고 긴장이 풀린 나는 실신 직전이었다. 승무원들이 우는 아이들을 달래기 위해 과자, 사탕, 항공사 캐릭터 인형, 크레파스 등 비행기에 있을 법한 모든 조공을 바쳤음에도 착륙할 때까지 두 아이는 울음을 그치지 않았다. 정말 한마디로 민폐 중에 상민폐였었다.

그런데 민망하게도 그 사건이 마지막 민폐가 아니었다. 어쩌다 대형마트에 갈 때면 물건 고르느라고 잠깐 한눈파는 사이 서로 다른 방향의 직진 본능으로 질주하는 아이들을 놓칠 때도 있었고, 카페나 식당에서 음식을 기다리는 사이 순식간에 체력 방전으로 소파에 누워 잠들어버린 아이들을 어떻게 하지 못하고 기다릴 때도 있었고, 컨디션이

좋지 않은 날은 평소 잘 안 부리던 짜증을 내며 바닥에 드러누워 떼를 쓰는 아이를 통제하지 못해 안고 밖으로 뛰쳐나간 일도 있었고, 박물관 안에서 너무 신난 상태여서 둘(또는 셋)이 쩌렁쩌렁 울리도록 큰 소리로 노래를 부르는 통에 반사적으로 '그만!'이라고 애들보다 더 크게 소리 질러 버린 일도 있었고 등등

물론 그 민폐 경험들은 이후 더 큰 민폐로 발전하지 않도록 많은 노하우를 터득할 수 있게 도와주었다.

예로 아이들과 세 번째 비행기를 타기 전에는 집에서 더 많이 여러 경우 수로 예행 연습을 했고 비행기 이륙과 착륙은 놀이(슈퍼맨, 마법사 등)로 인지시켰다. 그리고 입국장부터 출국장까지 시점별로 아이들에게 ①즐거움을 선사할 딱딱한 막대 사탕(오래 빨아먹을 수 있고 막대가 있어 삼키는 위험 요인도 제거할 수 있음)을 비롯한 간식(물 종류는 최소한으로, 자기가 직접 선택하도록 함, 여분의 간식은 엄마 가방에 별도 관리하고 대기 또는 지연 등의 경우에 활용하면 유용함)과 ②신경을 분산시킬 무음 놀이기구, 책(좋아하는 책이 없다면 숨은그림찾기를 추천함), 필기도구(낙서, 그림그리기, 색칠하기로 사용) 등을 준비하고 있다.

아무튼 이렇게 직접 아이를 키워보니 보이는 것과 다르게, 부모들

대부분은 자기 아이가 주변에 민폐 끼치는 것을 방관하고 있는 건 아니라는 걸 알게 되었다. 단지 낯선 환경에 적응이 쉽지 않은 아이를 잠시 기다려 주고 있는 상황일 수도 있고, 그날그날 아이의 컨디션과 성격, 그리고 주변 환경에 따라 아이가 통제 불능인 상황이 발생했을 뿐인 경우가 대부분이었을 것이다. 어떤 이들은 이런 상황이 자격 없는 부모 탓이라며 비하하기도 하지만 그 부모는 집을 나서기 전 아이들에게 오늘 어떤 약속을 지켜야 할지 신신당부를 몇 번이나 하고 중간에 훈육이나 야단을 쳤음에도 불구하고 벌어진 난처한 상황일 수도 있다. 나도 가끔은 잊어버리는 사실, 아이들은 하루아침에 바뀔 수 없으며 한 번에 하나씩 배우면서 잘못된 행동들을 교정받고 고쳐나갈 뿐이다.

그 때문에 내가 내린 결론은 주변에 민폐 끼치지 않고 살아가는 건 정말 쉽지 않다는 것이다. 아이를 키우다 보면, 나는 물론 타인도 당황하게 만들거나 곤란한 상황에 처할 때가 있을 수 있다. 그럴 땐 그냥 당시에 아이가 이해하건 못하건, 하면 안 되는 행동(남에게 피해를 주는 행동, 안전에 위험이 되는 행동; 자기 주관이 아닌 초등학교 1학년이 학교에서 처음 배우는 수준으로 구분하면 쉽다)을 했을 때는 분명하게 '안 된다고 꼭 말해주기'만이라도 잘 실천하자는 것이다. 그리고 아무리 설명해도 그 상황을 비하하는 어른들은 어떻게 해도 그대로 비

하를 멈추지 않는다. 그냥 그러려니 하자. 내가 키우는 아이도 바꾸기

쉽지 않은 데 하물며 다 큰 어른을 어떻게 하겠는가?

나만이라도 버리지 말자!

막내 라온이가 걷기 시작할 무렵부터 온자매들(가온, 다온, 라온)은 동네 골목과 해안도로를 걸으며 쓰레기 줍기를 해왔다. 산책하는 동안 버려진 쓰레기들(돌담 사이사이에 껴놓은 플라스틱 음료수 컵과 과자봉지, 바닥에 밟히는 담배꽁초, 바닷가에 쓸려온 온갖 폐어구들과 스티로폼 부스러기들, 먹다 버린 배달 봉투 안의 남은 음식물 등등)이 자꾸만 눈에 거슬렸고, 쓰레기를 버리면 안 된다는 것도 가르칠 겸 시작한 일이다. 다행히 아이들은 쓰레기를 줍는 것이 중요하다는 것을 알았고, 주운 쓰레기를 클린하우스에 버리고 돌아오는 길에 들르는 편의점 아이스크림도 즐길 겸 잘 따라주었다. 이 활동이 씨앗이 되어 몇 년 전부터는 복지관 마을 모임 '제로섬(엄마와 아이들이 함께 쓰레기를 줄이려고 노력하고 동네 해안가나 골몰을 돌며 버려진 쓰레기를 줍는 모임)'을 운영해 오고 있다. 또 이 활동은 교육적인 측면에서도 온자매들에게 많은 교훈을 주고 있다. 원래 쓰레기를 버리면 안 되는 것은 알고 있지만, 줍는 게 힘들기 때문에 쓰레기를 아무 곳에나 버리면 더 안 된다는 것을 확실히 알고 지킨다. 또 버려진 쓰레기 중에서도 담배꽁초들을 줍는 게 가장 짜증 나서 절대 금연할 거라고 자신한다.

최근에는 이런 일도 있었다. 학원 수업을 마치고 귀가한 라온이가

속상하다며 터덜터덜 걸어왔다. 무슨 안 좋은 일이 있었냐는 내 질문에 아이는

"엄마 오늘 너무 속상하고 화가 났어요. 학교 돌봄 끝나고 친구들이랑 학원을 가다가 문구점에 들렀거든요. 거기서 영희가 우리한테 지구 사탕이랑 무지개 젤리를 사줬어요. 근데 애들이 문구점에서 나와서 걸어가는데 젤리 봉투를 벗겨서 휙 던지더니 계속 가는 거예요. 그래서 쓰레기를 버리면 어떻게 하냐고 우리 얼른 주워서 학원에 버리자고 했어요. 그랬더니 알았데요. 근데 둘 다 또 그대로 그냥 가는 거예요. 그래서 내가 알았으면 주우라고 또 말했거든요! 근데 내일부턴 그렇게라며 말하고는 그냥 무시하고 또 가잖아요…."

"그래서 너는 어떻게 했니?"

"너무 화가 나서 걔들이랑 학원에 따로 걸어가고 집에 올 때까지 말을 안 했어요."

"그래서 그 봉투는 어떻게 했어?"

"어떻게 해요. 애들은 그냥 가버리는데요. 다시 뒤로 돌아가서 내가 주워서 학원 쓰레기통에 버렸어요. 내일부터 나 왕따 되면 어떻게 해요?"

되돌아가 버려진 쓰레기를 주워 쓰레기통에 버렸다는 아이가 기특

하면서도 또래 친구들을 잃을까 걱정하는 아이의 고충도 이해가 되어 고민하다 내 방식대로 대답해주었다 (이럴 때마다 육아 상담가나 코칭 전문가에게 뭐라고 말해야 할지 톡을 날리고 싶다).

"친구들이랑 그런 일이 있고 말도 안 하고 집에 와서 많이 속상했겠다. 근데 엄마는 라온이 엄마라서 더 이상 속상해하지 말라고 말할 거야. 쓰레기는 쓰레기통에 버려야 하는 건 어린 아기들도 알고 있는 거잖아. 그런데 귀찮아서 하기가 어려운 거지. 라온인 귀찮아도 그걸 했고, 친구들에게도 하라고 말한 거니까 엄마는 그런 라온이가 대견해. 그리고 친구들이 알면서도 하지 않아서 또 네 말을 무시하고 너만 두고 먼저 가버려서 네가 서운하고 화난 것도 이해되고. 하지만 서운하고 화난다고 꼭 해야 할 일을 안 할 수는 없잖니? 그런 일로 그 친구들이 내일부터 너랑 안 놀고 같이 안 다니지는 않을 거야. 왜냐면 그 친구들도 네 말이 맞다는 걸 알거든. 단지 그때 조금 창피해서 귀찮아서 그랬을 거야. 그러니까 걱정하지 말고 내일 학교에 가보자. 내일 어떻게 됐는지 엄마한테 또 얘기해 줄래? 그러고 나서 어떻게 할지 우리 또 얘기해 보자."

다음날 그 친구들은 이 상황에 대해 더 이상 신경도 쓰지 않았고 기억도 제대로 못 하고 그냥 어울려 놀았다고 한다. 이번에 라온이의 성격을 알았을 테니 다음엔 친구들도 쓰레기를 길에 버리지 않으려고 노력하겠지 추측해 본다. (다른 얘기지만 내 아이가 잘못했을 땐 잘못했다고 사과하고 친구들과 어울리라고 말해주면 되는데, 친구들이 잘못했는데도 어울리지 않으려고 한다면 그들과 어울리기 위해 참으라고는 말할 수 없으니, 잘못을 인정할 때까지 조금 기다려 주거나, 그게 안 된다면 그들과는 친구 되기 힘들겠다고 말하려 한다. 이게 정답인지는 모르겠지만, 그냥 내 생각은 이렇다.)

  아무튼 근래 제주 전역에서는 쓰담걷기(쓰담달리기, 줍깅, 플로깅이라고도 불림; 쓰레기를 주우면서 하는 조깅이나 걷기)나 클린올레(올레길을 걸으며 쓰레기는 줍는 활동), 해양쓰레기 줍기(비치코밍이라고도 불림; 해변을 빗질하듯 바닷가의 쓰레기를 주워 모으는 활동 또는 그것들로 예술작품에 활용하는 것) 등 많은 환경정화 활동이 트렌드가 되어 확산되고 있다. 그런데 이런 활동은 처음부터, 나와 내 아이부터, 나와 내 아이만이라도 최대한 쓸 수 있을 때까지 오랫동안 물건을 쓰거나 재활용하려고 노력하고, 버릴 때는 귀찮아도 꼭 쓰레기통에 버리면 필요 없는 활동이라고 생각한다.

사교육? 선행 학습 필요해?

온둥이들(다온, 가온)이 초등학교 입학할 무렵 대부분의 친구가 유치원 때부터 공부학원에 다닌다는 것을 알게 되었다. 물론 어린이집 시절부터 다니는 친구가 더러 있다는 것도 이미 알고 있었다. 이곳 제주에서도 한적한 시골 동네에서 초등학생들이 주로 다니는 학원의 종류는 크게 음악(다수가 피아노), 그림, 체육(다수가 축구, 태권도)의 예체능 분야와 한글, 영어, 수학, 논술 등의 학업을 위한 학원(또는 공부방)으로 구분되었고, 부모와의 시간대가 맞지 않거나 아이들이 좋아해서 또는 다양한 경험을 위해서, 그리고 남들보다 잘하거나 앞서기 위해서 부모들이 보내고 있었다.

제주 시골에서까지 서울과 비슷한 교육열을 겪을 거라고 생각해보지 못한 나는, 이 문제로 남편과 종종 의견 충돌이 있었다. 초등학생 때까지는 좀 더 자유롭게 놀았으면 하는 바람에 예체능만 시키자는 내 의견과 놀 친구도 없고 시작부터 느리면 따라가기도 힘들어 처질 수밖에 없고 공부 습관도 길러야 하니 예체능은 하나만 하고 공부학원을 늘려야 한다는 남편의 의견이 팽팽히 맞섰다. 육아 선배들인 언니와 동생, 새언니, 친구들과 상의를 해봐도 남편과 별반 다르지 않은 조언들이 대부분이었다.

그러나 나는 뜻을 굽히지 않았고 2학년까지 학원에서는 수영, 피아노, 미술, 발레를 두루 경험하게 했고 집에서는 하루에 한 장을 푸는 수학 문제집을 사서 이전 학기에 배운 것들을 복습시켰다. 그러다 3학년이 되니 굳건했던 내 의지가 흔들리기 시작했다.

"3학년 때에는 영어 수업을 시작한대요. 수학도 어려워져서 수포자 (수학 포기자)가 나오기 시작하고, 4학년부터는 수포자가 과반수 나온대요."

주변에서는 내 의지를 더욱 흔들었고, 열에 아홉은 내가 잘못 판단했다고 말하고 있었다. 그러다 마침 2학기 부모 상담 기간이 되어 경험이 많은 담임선생님들께 물어보기로 했다.

"선생님, 제가 늦은 나이에 아이들을 처음 키우다 보니 모르는 게 많아요. 제가 컸던 시절을 기준으로 생각해서 그런지 5학년이나 6학년 되기 전까지는 공부를 가르치는 학원에 보낼 필요가 없다고 생각했거든요. 그런데 주변에서 왜 제게 공부를 안 시키냐는 얘기를 어린이집 때부터 듣다 보니 이젠 제가 잘못된 고집을 부려서 애들에게 악영향을 끼치는 건 아닌지 걱정되고 두렵기까지 해요. 어떻게 하는 게 좋을까요? 특히 아이들이 영어학원에 가고 싶다고 졸라요. 친한 친구들은 영어 시간에 원어민 선생님과 영어로 간단한 대화도 하는데 자기들은 이제 알파벳만 떼서 무슨 말인지 하나도 알아듣지 못해 속상하다구요."

"선생님, 라온이는 아직 유치원생이라 한글을 더 배워야 할 텐데 영어를 배우고 싶다고 졸라요. 근데 지금 영어를 가르치면 혼동이 올 것 같아서 걱정이에요. 한글도 초등학교에 들어가면 배우라고 특별히 집에서 가르치지 않고 길을 다니다 간판 읽는 정도로 가르쳐줘요. 그런데 유치원에서도 가르쳐준다고 동화책을 읽더라구요. 아기 때부터 이중 언어로 가르친 게 아니라서, 지금은 국어를 완전히 알고 나서 외국어를 가르치는 게 맞지 않을까요? 국제학교를 보내거나 외국에 살 것도 아닌데 지금 영어를 가르칠 필요는 없겠죠?"

다행히 선생님들은 내 심정을 이해해주셨고 자신들도 선생님 이전에 부모들인지라 고민되는 주제일 수밖에 없다며 공감해 주셨다. 선생님들과의 면담을 끝내고 집에 돌아와 아이들의 의견도 물어본 후, 나는 온자매(라온, 다온, 가온)들을 모두 근처 영어학원에 등록시켰다. 특히 유치원생인 막내 라온이까지 말이다. 선생님들의 면담 중에서 아이들이 하고 싶을 때 함께 발 맞춰주지 않으면 그 분야의 흥미를 잃을 수도 있고, 나중에 다시 흥미가 생긴다는 보장도 할 수 없다는 말이 결정에 도움이 되었기 때문이다. 특히 라온이의 경우는 국어를 충분히 모국어로 익혔으니(쓰기는 초등학교 전 과정 내내 해야 하는 거란다) 영어를 배워도 모국어가 흔들지 않을 거라는 조언이 도움이 되었다. 그리고 언니가 두 명이나 있어 또래보다 빠르고 말발이 센 편인 라온이의 대답에도 설득되었기 때문이다.

"엄마, 학교에 들어가서 3학년이 되면 영어를 배우니까 지금 영어를 배우지 않아도 된다는 건 차별이에요. 엄마가 차별은 나쁜 거라고 하면 안 된다고 했잖아요. 난 옛날에 벌써 어린이집에서 영어를 배웠어요. 일주일에 한 번씩 ABCD랑 노래도 배웠는데 하나도 힘들거나 어렵지 않고 재밌었어요. 그런데 유치원에서는 영어는 안 가르쳐주고 한글만 가르쳐줘요. 나도 배우고 싶은데 어려서 안 된다는 건 말이 안 돼요. 어려우니까 지금부터 배워야 나중에 쉽지요. 그러니까 언니들만 보내지 말고 나도 보내줘요."

그렇게 영어학원에 입문시키고, 온둥이들은 작년 4학년 2학기 때부터는 수학학원도 보내기 시작했다. 그러다 5학년이 된 온둥이들 말에 이게 맞나 싶어 고민하다 다시 면담 기간에 맞춰 담임선생님들께 조언을 구했다.

"선생님, 저희 애가 요즘 수학 수업 시간이 너무 재미가 없고 지루해서 딴생각이 든다고 말하는데 고민이에요. 작년 4학년 2학기 때 담임선생님 면담에서 애들이 못하는 것도 아니고 다니고 싶다는데 왜 수학학원을 안 보내냐고 조언해 주셔서 결국 수학학원에 보내기 시작했어요. 학교 수준과 비슷하게 하고 복습 위주로 시켰으면 했는데 학원에서는 선행을 기본으로 하더라구요. 그래서 절충해서 1년도 너무 빠르니 한 학기까지만 선행해달라고 했어요. 그래서 5학년 1학기 건 이미 겨울방학 때 학원에서 배워서, 지금의 학교 수업 시간이 재미가 없어 집중력이 흐트러질 정도라는데 이건 앞뒤가 바뀐 거잖아요. 제가 세대 차이가 있어서 그런지, 학교보다는 학원 수업이 우선시되는 게 이해가 안 돼요. 학원을 한 학기 쉬게 하고 2학기부터 선행 없이 비슷하게 진도 나가거나 복습으로 해달라고 하려는데 맞게 결정한 거겠죠?"

"어머님, 교육 문제가 부모님들의 가장 큰 관심사인 건 이해합니다. 그렇지만 사교육은 제가 섣불리 대답하기 힘든 부분이고 부모님께서 결정하실 문제입니다. 그러나 학교생활에 있어 다른 문제가 없으니 조금이라도 도움이 될 수 있게, 단순하게 제가 아이의 부모라고 생각하고 제 개인적인 생각대로 그냥 말씀드릴게요. 저라면 경제적으로 지원할 수 있고, 아이들이 학교 수업을 못 따라가거나 배우고자 하는 열정이 있는 상위그룹이라면 사교육을 가르치겠습니다. 못 따라가면 더 보충을 해줘서 동급생 수준에 맞춰 주는 게 필요하구요. 상위그룹이라면 아이들을 더 성장시킬 기회와 가능성을 막을 필요는 없다고 생각해서입니다. 물론 아이들이 원할 경우입니다. 요즘 학교 수업에 흥미가 떨어지는 건 선행에서 나타날 수밖에 없는 부작용이지만 아예 수업에 참여하지 않는 것도 아니고요. 사실 지금 배우는 부분이 제가 생각해도 크게 재미가 없는 시기입니다. 그리고 그분들의 전문성을 신뢰하시는 것도 이해가 됩니다. 저와 학원 선생님은 배경부터가 다릅니다. 저는 교대를 나와서 초등학교 전반적인 교육과정을 두루 가르치도록 교육받았지만, 그분들은 그 전공 분야를 저희보다 더 깊이 공부하신 분들이고 다년간 학원에서 아이들을 가르친 경력과 노하우를 가지신 분들이니까 수학만 본다면 그분이 더 전문가라고 말할 수 있습니다."

선생님들의 조언에 힘입어 아이들의 수학학원은 쉬지 않고 그대로 유지하고 있고, 온둥이들도 그러길 여전히 원한다. 물론 그 뒤에도 온

둥이들은 가장 재밌었던 학교 수학 시간이 이젠 별 재미가 없다고 종종
이야기하고 있다.

아이의 활동 범위는 어디까지?

<온자매네 오늘의 작전>
2. 경찰서에서 가장 가까운
횡단보도 흰 줄이 몇 개인지
손가락으로 나타내는 인증샷
찍기

얼마 전 동생으로부터 전화를 받았다.

"언니, 윤지가 다다음 주에 친구들이랑 펜션이나 호텔을 잡아서 애들끼리만 1박 2일로 놀겠다는데 보내줘야 할까? 그리고 이번 토요일에는 당일치기로 서울 홍대에 가서 놀다 밤에 오겠데. 6명이 가는 데 나만 반대하고 나머지 부모들은 모두 찬성했데. 내가 잘못된 걸까? 언니는 허락할 거야?"

"아니! 나도 절대 반대야. 넌 제대로 결정한 거야. 안되는 건 안 돼. 꼭 가야 한다면 전체 부모 중에서 한 명이라고 따라가야지. 세상이 얼마나 무서운데 1%라도 나한테 해당하면 100%인 거야."

중학교 3학년 여학생인 조카 윤지는 이미 170cm 가까운 키에 긴 생머리 소녀, 길 지나다 언 듯 보면 성인으로 보이는 아이기에 생각해 볼 여지도 없이 결사반대했다. 동생네는 고민하다 아이들끼리의 몇 시간 홍대 나들이를 허락했고, 걱정이 많았던지 다녀온 후에는 고등학교 졸업할 때까지 부모 동행 없는 타지 나들이를 다시는 허락하지 않을 거라고 한다.

한 번씩 서울에 다녀올 때면 서울 전역을 거침없이 활보하는 친구들의 자녀들을 보면서 우리 아이들이 사회생활이나 행동반경이 너무 좁다는 생각이 들어 활동 범위를 넓혀야 하나 고민되기도 하고, 이런 서울 도시 아이들 속에 우리 아이들을 풀어놓으면 귀가 얇고 순진해서 금방 현혹되고 이용당할 것 같아 걱정됐었다. 그리고 온자매들(가온, 다온, 라온)이 어릴 적 제주 옆-옆 동네에서 스님 복장을 한 사람이 집에 가는 10살 남자아이를 데려가려다가 붙잡힌 사건, 입도하기 전 서울에서 들은 큰 공원 화장실 앞에서 7살 남자아이를 혼자 화장실에 보냈는데 순간 쎄~한 느낌이 나서 잠든 아이를 안고 화장실에서 나오는 어떤 아저씨에게 말을 걸었는데 알고 보니 자기 아이를 납치하려던 사건(아이는 수면제에 노출된 후 머리를 잘린 상태였다고 함) 등 무서운 얘길 적지 않게 들어온 터라 나는 아이들만(특히 혼자) 등하굣길을 걷게 하는 게 안심되지 않았었다.

그런데 라온이가 2학년이 되면서부터 처음으로 하교 후 학원을 혼자 다녀야 했다. 그동안은 언니들과 항상 함께였었기에 걱정이 앞서 2~3일 동안 하굣길을 동행했는데 생각보다 잘 해냈고 4일째 되는 날은 1시간 동안 친구들과 학교 운동장에서 놀도록 허락해 주었다. 그런데 약속 시간이 지나도 연락이 되지 않았고 학교 운동장을 다 뒤져도 찾질 못하는 상황이 벌어졌다. 사색이 된 온 가족이 사방팔방 휘젓고 난리가 났는데 30분 뒤 아이는 천연덕스럽게 웃으며 학교 운동장에 나타났다. 알고 보니 친구들을 따라 30분 거리인 근처 항구까지 걸어서 다녀왔고 무음 상태의 핸드폰은 쳐다보지도 않은 상태였었다. 나는 또다시 비슷한 사태가 벌어질까 걱정되고 약속을 지키지 않은 사실에 2주 동안 게임 금지, 간식 금지, 하교 후 친구랑 놀기 금지를 벌로 주었다.

그리고 우연한 기회가 생겨 만나 뵌 담임선생님께 조언을 구할 수 있었다.

"어머니, 그 일에서 라온이에게 부모님과 만나기로 한 시간약속을 어긴 부분, 허락받지 않고 약속한 장소에서 벗어나 놀다 온 부분에 대해서 잘못했다고 설명하고 훈계한 것은 잘하신 것 같아요. 그런데 제 생각에는 9살 라온이의 사회활동 범위가 좁다고 생각되네요. 이미 그 나이면 혼자 집 주변을 아울러 동네는 물론 이 지역 정도의 중심 번화가까지 활동 영역을 넓힐 시기인데 이제야 처음 500m 정도 거리의 학원을 혼자 다니기 시작했어요. 계속 끼고 살 수는 없지 않을까요? 아이도 사회활동 범위를 점점 넓혀가면서 자기 길을 가야 하는 거고, 그러기 위해서는 연습할 기회를 주셔야 한다고 생각돼요. 제 경우엔 제 아이들이 5살 때부터 지도를 들고 제주시를 탐방했어요. 그렇게 다니면서 위험한 곳도 설명해 주고 주로 다니는 장소(서점, 도서관, 대형마트, 영화관 등)도 익숙해질 때까지 일부러 버스만 타고 다녔구요. 지금은 10살이 되었는데 알아서 먼저 앞장서고, 어쩌다 한 번씩 버스 태워 심부름도 보냅니다. 제 방식이 정답은 아닙니다. 꼭 저처럼 하라는 게 아니라 제 방식은 이랬는데 라온이에게도 연습이 필요하다고 생각되니 어머니만의 방식으로 연습시킬 방법을 고민해 보시는 게 좋을 것 같아요."

선생님과의 면담을 끝내고 며칠을 고민하다 나는 온자매들을 불러 앉혔다.

"오늘은 엄마가 너희를 위해 재밌는 놀이를 준비했어. 작전 게임이야. 엄마가 준비한 지령을 보고 하나씩 정해진 시간 내에 임무를 완수하는 거야.

엄마는 집에서 기다릴 거고 너희끼리만 다녀와야 해. 이걸 잘하면 우리 동네 위치도 잘 알고 익숙해질 거야. 끝나고 재미있으면 매달 한 번씩 할 거야. 다음 작전은 너희가 정해도 돼. 그리고 너희 민돌이(자가용)만 타고 다녀서 지금까지 버스를 타본 적이 1~2번 밖에 없잖아. 그래서 나중엔 너희끼리 다른 지역으로 버스 타고 나가서 영화 보기 같은 것도 해보려고 해. 일단 어떻게 하는지 재미있는지 오늘 한번 연습게임을 해보자!"

〈 온자매네 오늘의 작전 〉

1. 꼭 지키기!!

① 길을 건너거나 작전 수행 시 다치지 않게 조심하기!

② 길을 걸을 때는 지령이나 핸드폰을 보지 않기!

③ 급한 일이 생기면 언제든지 엄마에게 바로 전화하기!

④ 절대 혼자 다니지 않고 함께 다니기!

⑤ 중간에 다른 사람들과 다른 장소로 가지 않기!

⑥ 인증샷을 꼭 찍고 바로 엄마에게 상황을 공유하기!

2. 작전

① 초성에 " ㅅ "들어가는 약국 3곳 앞에서 인증샷!

② 경찰서에서 가장 가까운 횡단보도의 흰 줄은 몇 개?

③ 정각 2시에 떡볶이 먹기 인증샷!

④ 학교 옆 공용 주차장의 전기차 충전기는 몇 개?

⑤ 공용 운동기구 3개에서 각자 10초씩 운동 동영상!

⑥ 편의점에서 5천원 어치 구매한 영수증 인증샷!

4장.
도민의 평범한 하루

어디 가서 놀까?

"토요일인데, 오늘은 어디 가서 놀까? 어젠 학원 끝나고 송악산 갔다 왔으니까, 오늘은 바닷가로 가볼까? 근데 물 때가 3시라서 시간이 좀 남아."

"엄마, 당나귀 잘 있나 보러 갔다 오거나 양떼 목장 가서 당근 주고 오면 안 돼요? 이번 주에 승마 수업 못 가서 동물이랑 더 놀고 싶어요. 어제 송악산 말은 집에 가버려서 못 봤잖아요."

"나는 저번에 예약해 둔 책이 반납됐다고 연락받았어요. 도서관에서 책 보다가, 물 때 되면 거북손 따러 갈래요."

"엄마, 나는 아이스크림 먹으면서 돌고래 지나가나 보러 갔다가, 게랑 보말 잡고 싶어요."

호기심 많고 동물 좋아하는 가온이, 책 좋아하고 쫄깃한 거북손찜 좋아하는 다온이, 카페 데이트와 돌고래를 사랑하는 라온이~

취향은 서로 다른지만, 이 또래 아이들이 그렇듯 온자매들도 날 좋은 날은 일단 무조건 집 밖으로 나가고 싶어 한다.

그런 점에서 제주는 자연에서 뛰놀고 싶은 어린아이들의 천국이다. 유명 관광지답게 일일이 이름 대기도 힘든 여러 해수욕장, 한라산을 비롯한 크고 작은 오름들, 섬들, 올레길, 휴양림·식물원, 맛집·카페, 미술관·박물관, 이색 체험장소 등이 넘쳐나 선택만 하면 된다. 그게 어디든 대부분 1~2시간 이내에 그 장소로 이동할 수 있어서 당일치기로 돌아오기도 쉽다. 이런 유명 관광지가 싫거나 아는 곳이 없다면 그냥 근처 바닷가나 오름에 가면 되고(아무리 멀어도 20~30분만 내에 갈 수 있다), 그런 곳마저도 없다면 (도심지를 벗어난) 동네 돌담길을 따라 한 바퀴 도는 것만으로도 충분히 즐길 수 있다.

반면 부족한 부분도 많다: 쇼핑이 필요할 때 갈 만한 백화점, 아울렛 등의 복합쇼핑타운이 없고, 육지에서는 흔한 대형 또는 차고형 마트 대신 하나로마트, 오일장, 동네 마켓 등의 선택지 좁은 장보기만 가능하고, 높은 택배비나 배송 불가라는 한계가 있는 온라인 쇼핑, 다양한 공연이나 전시가 부족하고, 날씨가 변덕 부릴 때가 종종 있고, 10대 아이들이 이용할 실내 놀이시설이 턱없이 부족하고, 촘촘하지 못한 대중교통 때문에 승용차가 없으면 바깥 생활 대부분을 포기해야 한다는 점 등

아무튼 오늘도 스케줄이 꽉 찼다.

①먼저 당나귀에게 먹이 주고

②돌아오는 길, 잠시 해안도로 정자에 앉아 편의점에서 산 아이스크림 먹으며 기다렸다가 저 멀리 돌고래 가족 보고

③집 앞 도서관에 들러 한 권씩 책 읽고 나머진 대출해서

④집으로 돌아와 점심 간단히 먹고

⑤동네 개방 어장 옆 초등학교 운동장에서 인라인과 퀵보드 타다가

⑥물 때에 맞춰 1분 거리 바다(동네 개방 어장)로 출발하자마자 도착해, 본격적으로 거북손 따거나 게 많이 잡기 내기 시작 (나는 급 눈에 띈 뿔소라 줍기 성공에 신나 천지에 널린 보말 줍줍)

⑦해가 지는 걸 확인하고, 집으로 돌아와 애들은 씻고, 나는 주워 온 보말/뿔소라/거북손 쪄서 저녁으로 먹으며 수다 떨기

그리고 애들은 또 묻는다.

"엄마, 내일은 또 어디 가서 놀지?"

옆 동네 국수 먹으러 가자!

"오늘 12시부터 옆 동네에서 마을 축제하는데, 가서 국수나 먹고 올까?"

"체험도 있어요? 솜사탕 왔으면 좋겠다."

어제 온자매들을 등교시키다 봐둔 현수막 광고가 생각났다(여긴 제주에서도 시골 동네라 현수막에서 많은 정보를 얻는다: 새로운 가게나 병원 개업, 할인 행사, 지역이나 마을 행사, 누구네 대학합격이나 승진, 결혼 소식 등).

대충 옷을 갈아입고 온자매들과 옆 동네 행사장에 도착하고 보니, 중앙무대에서는 동네 분들이 틈틈이 연습한 장기자랑을 하고 계시고 무대 주위를 청년회와 부녀회 천막들이 즐비하게 둘러싸여 있다. 가장 넓은 천막들 밑에는 갓 삶아 나온 돔베고기(돼지고기 수육; 돔베는 도마를 뜻하는데 제주 어느 잔치를 가도 빠지지 않는 음식으로 갓 쪄낸 돼지고기를 썰어 따뜻하게 먹을 수 있게 나옴. 육지에서 수육을 즐기지 못했던 나도 좋아하는 음식 중 하나임)와 국수들을 먹는 사람들이 진을 치고 있다. 늦은 아침을 먹은 지 얼마 안 됐지만 포기할 순 없다. 김이 모락모락 나는 국수와 돔베고기를 받아들고 풋마늘 장아찌를 올려 자리를 잡는다. 앉은 자리에서 돔베고기 두 그릇과 각자 커다란 국수 한 그릇씩을 뚝딱 해치우고, 오면서 봐 둔 솜사탕 천막에 줄을 서는 온자매들을 뒤로하고 나도 자유를 즐기기 위해 무대 앞 의자에 앉는다. 그리고 잠시 후 솜사탕 한 개씩을 손에 들고 나타난 온자매들과 나란히 앉아 노래도 따라부르고 상품권 걸린 퀴즈에 번쩍 손도 들어본다.

대부분의 동네 행사는 이런 식이다. 예전에 살던 시골 동네잔치 풍경을 생각나게 한다. 아이 어른 할 것 없이 맛있는 음식을 서로 나눠 먹고 춤추고 노래하고 뛰어놀며 즐긴다. 아이들을 위한 놀이나 체험은 덤이다. 도시처럼 즐길 다양한 문화시설과 공연이 적은 대신 제주는 이런 크고 작은 동네잔치나 지역행사가 1년 내내 끊이질 않는다. 물론 대부분 타 동네 주민과 관광객에게도 열려있다.

오늘도 큰 기대 없이 놀다가 먹다가 웃다가 해안도로를 돌아 집으로 돌아가는 길, 나는 붉게 물들어 가는 노을을 보며 음악에 취해가고, 온자매들은 짧은 10여 분 동안 꿀맛 쪽잠을 즐기는 중이다. 회전차로를 도는데 커다란 형형색색의 현수막 글귀가 눈에 들어온다. 다음 주에는 이 동네로 국수 먹으러 와야겠다.

아빠 엄마 녹차 따고 왔어.

"이번 주 토요일 오전에 바빠? 우리끼리 광합성 좀 하고 올까? 애들 끝나는 3시쯤 돌아올 수 있겠어."

우리 부부는 과학 동아리 활동하러 학교에 가는 온둥이(가온, 다온)와, 복지관 컴퓨터 수업을 가는 라온이까지 모두 집을 비우는 사이 마침 농업생태원에서 녹차 체험이 있다는 알림을 받고 다녀오기로 했다.

오랜만에 중산간도로를 따라 서귀포 바다와 한라산을 동시에 눈에 담으며 드라이브를 즐겼다. 1시간이 다 돼 약속 장소에 도착하고 보니 사방이 녹차밭 천지에다. 달콤한 귤꽃 향기에 둘러싸여 미소가 끊이질 않고 절로 나온다. 오설록만 가봤지, (제주) 남원 쪽에도 이렇게 잘 관리된 녹차밭이 있다는 걸 10년 만에 처음 알았다. 앞에서 설명해주신 대로 갓 올라 온 연녹색 어린잎들을 따다 보니 눈에도 광합성 작용을 하는 기분이다. 돌아보니 큰 기대 없이 왔던 남편이 미소를 머금고 잎 따기 삼매경에 빠져있다.

한 시간쯤 지난 후였을까, 어느 정도 딴 찻잎 몇 소쿠리를 들고 녹차 수제 체험장에 도착했다. 덖기, 비비기를 반복하는 세작차 만드는 과정을 구경하며 소소하게 체험하고, 우전(첫 번째 딴 녹차)도 시음도 해본다. 그것도 정면으로 손에 닿을 듯한 한라산을 마주 보면서~ 무

슨 말이 더 필요한지, 이래서 제주에 살지 싶다.

　토박이나 오래된 입도민도 잘 모르는 경우가 많지만, 제주에는 1년 내내 지역별로 남녀노소 참여할 수 있는 다양한 문화체험들(도민과 관광객을 구분하거나 모두 참여할 수 있는 프로그램)이 많고 자주 있는 편이다. 특히 대부분이 무료이거나 저렴한 비용으로 즐길 수 있어 인기 있는 프로그램은 경쟁률이 치열하다. 최근 몇 년 동안 남편과 내가 받은 프로그램만 예로 들면, 목공 체험(도마, 수납장), 도자기 체험(그릇, 화분), 가죽공예(지갑, 키링), AI교육, 원예 수업(반려 식물 키우기, 테라리움 만들기), 의류 리폼(앞치마 만들기), 미술 수업(캐리커처), 문화가 있는 날 미술관 관람이나 문화인 토크쇼, 곶자왈 생태체험, 천연 염색체험(감물, 쪽)이 있었다. 그래서 시간적 여유만 있다면 경제적 부담을 줄이면서 심심할 틈 없이 여가 생활을 즐길 수 있다. 아이들의 경우에는 초등학생 위주의 프로그램(악기, 운동, 춤, 컴퓨터, 경제, 역사, 공예 등)이 많은 편이다. 도심지역에 떨어진 시골 지역(또는 그 중간 어디쯤)의 경우에도 관내 읍사무소나 주민센터, 도서관, 복지관, 청소년수련관 등에서 무료로 지원하는 프로그램들이 진행되고 있어 온자매들도 종종 참여하고 있다.

선물로 받은 수제 녹차 우전을 가방에 넣고 차에 시동을 건다. 지금 출발하면 온자매들 픽업 시간에 여유 있게 맞을 듯하다.

'아이들을 만나면 아빠·엄마 녹차 따고 왔다고 자랑해야지. 그리고 저녁 먹고 우전 즐기는 법을 가르쳐줘야지. 내가 다기 세트를 어디다 뒀더라?'

도민의 휴가

"엄마, 이번 여름 방학 때도 어디 안 가요?"

"다들 제주 휴가 오겠다고 줄을 서도 못 오는데, 우린 여기 이미 살고 있잖니. 집에서 방학 보내면 되지 또 어딜 가니? 어딜 가도 여기보다 못할 거야."

휴가철이라 항공권, 배편 예약이 마감되고 있다는 뉴스를 보며 아이들은 올해도 묻는다.

평소 남편과 나는 사람 몰리는 휴가철에 여행하는 것을 별로 좋아하지 않는다. 게다가 성수기로 불리는 여름철이나 연휴 기간에는 제주로 들어오는 내외국인 관광객들이 유명 명소 어딜 가나 천지다.

그래서 도민들은 관광객들이 거의 몰리지 않는 곳들을 알음알음 공유하며 찾아다니며 휴가를 즐긴다. 시기도 성수기/극성수기로 불리는 여름 휴가철보다는 그보다 한두 달 전후에 주로 휴가를 즐긴다. 관광객들이 몰리기 전에 유명 명소 다녀오는 일명 관광객 놀이를 즐기거나 유명 리조트나 호텔을 찾아 호캉스를 즐기고, 평소처럼 바다 수영이나 캠핑을 즐기거나 여름 한 철에만 열리는 담수□용천수(대부분 바다와 접해있고 지하에서 솟아나는 용천수로 조성되어 있어 한여름에도 얼음장처럼 차갑다) 수영장에 가고, 그동안 못 갔던 육지나 해외로 여행을 떠난다. 겨울철에는 만감류 수확시기로 일손이 부족해 휴가를 즐기는 경우가 많지 않은 것 같다. 대신 한라산 또는 근처 오름에 눈이 쌓이는 날이면 너도나도 눈썰매와 각종 장비를 들고 겨울 놀이를 즐기기 바쁘다. 입도하고 얼마 안 돼 한라산 1100도로 등 주요 도로에 눈썰매와 눈 산행을 위해 몰린 사람들로 도로가 정체되고 경찰이 출동했다는 TV 뉴스를 보고 엄청 놀랐었는데 그 후로 매년 겨울만 되면 보게 되는 단골 뉴스였다. 또 따듯한 기온 덕분에 4계절 내내 꽃을 볼 수 있어 겨울철에도 꽃 나들이를 다니는 것도 드물지 않다(대표적인 동백 이외에 육지인들이 들으면 의아하겠지만 의외로 유채꽃도 흔하게 구경할 수 있다).

우리도 여름휴가는 여느 도민들처럼 도민 위주의 관광지나 리조트 수영장을 찾고, 겨울방학에는 육지로 나가서 여유롭게 여행하며 그동안 자주 보지 못했던 친구들과 가족들을 만나고 돌아오는 편이다.

파치는 정(情)

"애기들 아빠!! 일어났어! 계단에다 놓고 가니까 안에 들여놔!"(대략 이런 의미로 말씀하심. 10년째 같은 말을 듣다 보니 85% 이상 확실하다)

아침 6시, 쿵쾅거리는 현관 노크 소리와 함께 쩌렁쩌렁한 앞집 할아버지 목소리가 알림 소리보다 먼저 잠을 깨운다.

앞집 할아버지네는 우리가 처음 이사 오고 10년째 이맘때쯤 되면 무심히 집 앞 현관 계단에 짊어지고 오신 마늘 한 포대를 툭 내려놓고 가신다. 그것도 20kg짜리 포대를 말이다. 처음 몇 년은 너무 깜짝 놀라고 고마워서 어쩔 줄 몰라 손사래를 치며 거절했었다. 구부정한 허리 한번 제대로 못 펴시고 수시로 해녀 물질과 밭일을 하시는 할머니와 몇 해 전 위암 수술을 받으셨다는 데 여전히 일손을 놓지 못하고 계시는 할아버지께서 힘들게 수확하신 마늘을 그냥 덜컥 받기가 송구하기 때문이다.

하지만 할아버지네는 오늘도 막무가내이다.

"그냥 파치(공판장에 상품으로 내다 팔 수 없는 하품 못난이 농산물)야. 못 파는 거야. 여기선 다 이렇게 나눠 먹어. 힘들게 가져왔으니까 버리든지 먹든지 해!"

(워낙 제주어가 강한 편이신데 하필 오늘은 특별히 더 강하시다. 정

확히 뭐라고 말씀하셨는지 낱말/문장 그대로는 생각이 나질 않아 받아적기 힘들고 대충 이해한 의미로 순화해서 적은 말씀이다)

어릴 적 평생 농사를 지으신 부모님 밑에서 자란 덕에 그 의미를 알고도 남기에 끝까지 거절하지 못하고 받아 들다 보니 10년째 받고 있다. 매번 우리까지 마음 써 챙겨주시는 고마움에 답례를 가져왔다고 혼나면서도 가만히 있을 수는 없어 수박이나 고기 등을 사다 드리기는 하지만 미안함은 여전히 남는다.

"양파 필요하신 분? 금요일에 우리 옆집 양파 수확 끝나고 일요일 오후에 갈아엎는데요. 토요일 오전 근무 끝나고 파치 주우러 갈 건데, 필요하면 같이 가요~"

점심시간이 끝날 무렵 우리 수눌음 모임 단체톡이 울린다. 오늘은 운수 좋은 날? 벌써 두 번째 파치를 얻는 날이다.

힘들게 지은 농사라 쌀 한 톨도 아까운데 도착한 밭에는 널브러진 양파 천지다. 이 많은 걸 다 갈아엎어야 한다니 파치 얻으러 온 나도 이렇게 속상한데 주인은 얼마나 속 쓰릴지. 예전에 돌아가신 아빠 말씀이 떠오른다. 그런 거까지 일일이 신경 쓰면 못 산다고, 대신 내년엔 하늘에서 잘해주실 거니 막걸리 받아와 한잔 논에다 뿌리고 마저 남은

잔 마시고 일어나면 된다고.

길지 않은 사이 한 소쿠리 주웠을까 그만 가자고 소망이 엄마를 재촉하려고 찾으니, 손 빠른 소망이 엄마는 자동차 트렁크 한가득 주워 놓았다. 소망이 엄마는 다른 일정 때문에 함께 가지 못한 엄마들과 아이들이 모여 놀고 있는 인근 초등학교 운동장에 도착해서 엄마들을 불러 모은다.

"옆집 아방이 힘들게 농사지어서 팔지도 못하는데 썩어서 버리면 더 아까워요. 얼른얼른 많이들 가져가요. 가져가서 시어멍네, 동생네 두루두루 나눠 먹어요."

심지어 근처에서 놀고 있던 낯선 엄마들에게도 양손 가득 나눠주고 서야 그녀는 앉아 한숨 돌린다. 정말 제주스러운 사람이다.

누군가에게서 들었던 말이 떠오른다. 파치 밭 정보가 내게 도착하고, 집 앞에 파치가 놓여 있으면 진정한 동네 일원이 된 거라고.

제주는 텃세가 심해 살기 힘들다고 흔히들 말하는데 철철이 수확을 끝내고 누군가 무심코 현관 앞에 툭 던져 놓고 간 파치들을 마주할 때면 이들이 얼마나 애틋하고 살뜰한지 겪어보지 못해서 나온 말일 게다.

육아 동지, 수눌음!

"안녕하세요, 라온이 엄마시죠? 어린이집 같이 다니는 소망이 엄마예요. 라온이가 우리 소망이랑 잘 놀아줘서 항상 고맙다고 인사하고 싶었어요. 그렇잖아도 연락처를 몰라서 선생님께 물어보려고 했는데 잠시 시간 되세요? 수눌음 돌봄공동체라고 들어보셨어요? 제주도에서 진행하는 육아 지원사업인데 아이들이랑 부모들이 함께 놀고 아이를 돌보는 품앗이 같은 거예요. 저희 팀에서 한 가족이 이사 갈 거라 자리가 생겨요. 혹시 팀에 들어오실래요? 가온이랑 다온이도 잘 아는 친구네 집도 있어요. 참여하시겠다면 다른 가족들이랑 상의해보고 올해 사업 신청할 때 함께 접수하면 좋을 것 같아요."

4년 전 동네 마트에서 우연히 마주친 소망이 엄마의 소개로 처음 수눌음돌봄 공동체에 참여하게 되었다.

당시는 온둥이들의 초등학교 입학 설렘 대신 코로나19 사태로 무겁고 어수선한 1년을 보내고 난 후였다. 남편과 내 재택근무로 다른 사람과의 접촉도 거의 없었고, 그나마 육지보다는 학생 수가 적은 제주 학교여서 한 달 후부터는 정상 등교도 하면서 마당이 있는 바닷가 시골 단독에 살고 있어 어렵지 않게 숨 쉬면서 살 수 있었다. 생각해보니 그때가 처음 제주 유배 생활이 나쁘고 힘들지만은 않다고 받아들일 때였던 것 같다. 육지보다 의료수준이 떨어지는 것은 걱정이긴 했지만,

하교하고 나면 마스크를 자유롭게 벗어 던지고 동네 바닷가와 골목, 그리고 마당에서 마음 놓고 뛰어다니고 재잘거릴 수 있었다. 장보기도 마음 놓고 다니지 못했던 때였던지라 육지 지인 중에서는 유일하게 부러움의 대상이었던 1년을 보냈지만, 또래 친구와의 놀이가 자유롭지 못했던 아이들의 삶은 그래도 고단했었다. 그래서 그때 만난 수눌음의 가족 모임은 우리에게 축복이었다.

동네 바닷가에서 빨빨거리며 도망가는 게를 잡으려고 쫓아다니고, 누가 더 많이 보말을 잡았나 내기도 하고, 떠내려온 미역과 각종 해초를 모아 물 위에 퀸사이즈 침대를 만들어 돌아가며 눕고 점프하고, 그동안 무섭기만 해서 시도도 못 해본 인라인이랑 퀵보드, 롤러코스터 놀이기구도 타보고, 삼삼오오 짝을 지어 양 떼도 몰아보고, 한 시간이 걸려도 안 끝났던 식사 시간을 단 10분도 안 돼 깔끔하게 두 그릇 털기로 끝내버리고, 한 달 동안 틈틈이 준비했다는 장기자랑에 열 띤 잠옷 파티도 해보고, 매번 해 떠서 해 질 때까지 놀고 놀아도 다 못 놀았다고 더 놀아야 한다고 합창하고… . 벌써 4년째 평생 갖게 될 많은 추억이 쌓이고 쌓이고 있다.

특히 온자매들이 매해 직접 준비하는 게 관습이 되어 버린 우리만의 운동회와 할러윈 파티는 아이들이 일 년 중 가장 고대하는 날 중 하나가 되었다. 온자매들은 꼭 해야 하는 운동회 종목이 된 신발 던지기와 과자 따먹기(작은 봉지째로 준비), 이어달리기, 보물찾기 외에 어떤 게임을 할지 고민하느라고, 할러윈 파티 때 친구들에게 선물할 과자들을 나눠 포장하고 풍선을 불어 장식하느라고 기본 한 달 동안은 설렘 그 자체로 보낸다.

5장.

토닥토닥 수다가 필요해

육지인과의 짧은 만남 긴 이별

오늘은 일어나자마자 정신없이 세 온자매들을 학교에 보내고, 밤새 쌓인 메일들을 처리하느라고 오전 내내 노트북 앞을 떠나지 못하고 있다.

"드르륵", "드륵".

오늘따라 핸드폰 진동벨도 바쁘다.

"점심 먹었어?"

"바빴어?"

"문득 생각나네."

업무 문자들 속에 친구들의 문자가 섞여 있다. 문자에 바로 답이 없자 10분째 기다렸단다.

"미안…. 조금 바쁨. 다음 주에 얼굴들 좀 볼까?"

짧은 한 두 단어로 대충의 분위기를 파악하고 느닷없는 약속에도 기다렸다는 듯이 흔쾌히 응해주는 인숙이와 희야는 30여 년 된 죽마고우다.

"여기서 만나네? 우연이야? 기다렸어?"

"얼마 만이야. 1년은 한참 지났지?"

고대하던 약속 시간 10분 전, 만나기로 한 식당을 몇백 미터 남겨두고 퇴근 시간에 정신없는 지하철역 개찰구 앞에서 1분 간격으로 셋이 마주쳤다.

그때부터 시작해 저녁을 먹고 난 뒤, 남편들과 아이들에게 양해를 구하고 카페를 찾아 마지막으로 문을 닫는 11시까지 세 곳이나 옮겨 다니며 가는 시간이 아까워 쉼 없이 이야기한다. 지금 아니면 또 몇 개월 후, 아니 몇 년 후가 될지도 모를 일이다. 간간이 문자와 전화 통화로 알고 있는 이야기들이지만 얼굴을 맞대고 다시 한번 더 아이들 얘기와 고민거리, 남편과 부모님 안부, 하루 스케줄, 출퇴근길, 휴가 계획, 그사이 알게 된 동창들의 근황, 요즘 취미, 앞으로의 계획이나 걱정들, 새로 장만한 옷과 바뀐 머리 스타일, 늘어가는 주름, 폐경 전조증상, 반찬거리, 맛집, 부모님 팔순 잔치 준비, 등등

우리가 거쳐 간 식당 1곳과 카페 3곳의 접시는 이미 모두 깨진 지 오래일 게다. 그렇게 5시간을 마주하고 집에 돌아가는 길, 집에 돌아가서도 잠들기 전 30분 동안 못다 한 이야기를 이어가다 잠이 든다.

다음날 일정을 마치고 제주로 돌아가는 김포공항 대기실. 이젠 간다고 톡을 날리고 지연되는 비행기를 기다린다.

"또 언제 오니?"

…. 답을 할 수가 없다.

서울에 살 땐 못해도 한 달에 한 번은 마주 앉았었는데, 내가 제주

로 들어오고 나선 정확한 다음을 기약하기가 쉽지 않다는 걸 그녀들도 안다. 다만 자주 보고 싶은 서운함과 안타까움이 녹아 꼭꼭 눌러 쓴 마지막 인사말. 저번 겨울방학 때 다녀가는 길 언니와 동생이 보낸 문자와 똑같아 마음이 아프다.

2시간 후. 도착한 제주공항에서 집에 가는 버스를 기다리며 핸드폰을 꺼내 들고 묵은 답장 2개를 한꺼번에 보낸다.

"드디어 제주 착륙. 버스 기다리는 중."

"곧 보자."

그저 이야기 나누고 싶어.

"엄마, 오늘 나 대장 됐다!"

"왜, 무슨 일로 네가 대장이야?"

"아니. 친구들이랑 얘기하다가 태윤이가 자기가 제일 크니까 대장 하겠다잖아. 은서는 집이 가장 가깝다고 대장 하겠다고 하고. 그래서 내가 나랑 엄마랑 나이 합치면 나이가 가장 많으니까, 대장이라고 했어. 우리 선생님보다도 엄마 나이가 많아."

"맞아. 엄마 나이가 많지. 우리 반에서도 엄마가 가장 나이가 많아."

"맞아. 우리 반 엄마 중에서도 그래."

"근데, 희순이가 자기 아빠가 엄마랑 나이가 똑같다고 자기도 같이 대장이라고 하잖아. 그래서 내가 말해줬어. 야! 그래도 내가 대장이야. 왜냐면 우리 아빠는 엄마보다 나이가 더 많아! 라고 했거든. 나 잘했지?"

"뭐야⋯. 그럼 아빠가 가장 늙어서 라온이가 대장 된 거야? 아빠 덕이니까 한턱 내! 그 소시지 한 개만 줘~"

뭐가 그리도 재미난 지, 히히호호, 저녁 식사 내내 밥은 어디로 먹는지 재잘재잘 이야기가 끊길 기미가 보이지 않는다.

이 순간 가득 찬 생각 하나,

'행복하다. 이런 소소한 얘기에 웃고 떠드는 가족과 함께하는 이 순

간, 내가 원하고 꿈꾸던 그 순간들이다.'

나 빼고 모두 산 건지 코인이나 주식, 아파트 팔고 벼락부자 됐다고 한 번씩 안부 전화 돌리는 동기랑 친구들, 일찍 결혼해서 낳은 큰 애를 결혼시킨다는 동창, 정년퇴직하고 세계여행 다닌다는 선배들, 대학교 정교수 됐다는 후배, 미용실 잘돼서 2번째 건물 샀다는 친구…. 잘된 지인들의 행복한 소식은 바람을 타고 먼 이곳까지 들려오곤 한다. 그럴 때면 단지 '부럽다'로 끝나지 않을 때가 있다. 나 혼자만 처음 입도했을 당시 그 자리에서 쳇바퀴 돌고 있는 것 같아 초조하고 잘못 선택한 건 아닌지 의문이 들 때도 있다. 오늘이 그런 날이었다. 그런데 이 순간 드는 이 생각 하나에 힘을 내본다.

다음 날 아침, 또 정신없는 오전을 보내고 점심때가 되었다. 혼자 먹는 점심, 대충 요기만 하고 핸드폰을 만지작거린다. 통화 가능한 엄마와 언니, 친구들에게 간단히 안부 전화를 돌리고 나니 10분도 채 지나지 않았다. 시시콜콜하게 다 말할 수도 없고 말해도 남들 다 가고 싶어 하는 그곳에서 살면서 뭘 그렇게 바라는 게 많냐며 온전히 이해하기 힘들다는 반응이다.

입도 직후에는 만삭의 몸으로 짐 정리하는 데 정신이 없었고, 라온이를 낳고 1년 동안은 아는 사람 하나 없는 이곳에서 말 못 하는 라온이와 남겨져 저녁이 될 때까지 혼자 벽을 보고 중얼거렸다. 계절별로 극과 극을 달리는 습도 차이에 생긴 어지럼증과 세찬 바람은 웃풍이 되어 더 거센 산후풍을 앓아야 했고, 약해진 기력에 한포진도 덤으로 찾아왔는데 말이다.

그렇게 한해 한해를 버티다 보니 어느덧 10년이 지난 지금. 다시 시작한 일과, 다정한 남편, 재잘거리며 엄마를 찾는 온자매들 덕분에 하루하루가 빠르게 지나가고 정신없이 행복하다.

하지만, 그 사이 사이에 드는 허전함이랄까? 남편 아닌 비슷한 처지의 다른 이와 수화기 너머가 아닌 마주 앉아 표정 하나하나의 반응을 즐기면서… 비행기나 배를 타지 않고 집 앞 몇 분 거리에서… 입도민으로서, 엄마로서, 아내로서, 딸로서, 며느리로서, 얼마나 힘들었는지 힘든지, 당시 어떤 마음, 어떤 상황이었는지 바로 고개를 끄덕이고 함께 웃고 화내고 욕하고, 비슷한 처지를 이야기하며 '맞아, 맞아'를 외치는 것만으로도 서로에게 위안될 수 있고 용기를 낼 수 있도록 들어주고 지지해 줄 그런 사람들과 그저 부담 없이 소소한 이야기를 나누고 싶을 때가 있다.

오늘 저녁은 남편과 온자매들에게 양해를 구해야겠다. 절친희(친한 친구와 이웃이 되기 위해 즐겁게 이야기하자는 만들어진 마을 모임)와

마실 좀 다녀오겠다고.

아빠도 수다가 필요해.

흔히들 여자들 셋만 모이면 접시가 깨진다고들 말한다. 그런데 우리 집은 여자 넷에, 수다를 할 줄 아는 남자 하나가 함께 산다.

보통 남자들은 말을 즐길 줄 모른다고 하는데, 온자매들 아빠의 안에는 수다쟁이가 있다. 쓸데없는 말로 시간 죽이는 거 말고 누군가와 살아가는 소소한 대화를 유쾌하고 지루하지 않게 나눌 줄 아는 사람이다. 내가 없는 부녀간의 수다도 기본 2시간이다. 나는 남편의 이런 점이 좋다. 함께 하는 쇼핑도 좋아한다. 비슷한 여러 매장을 돌며 마음에 드는 물건을 찾을 때까지 옷도 입어보고 신발도 신어보고 전자제품을 테스트하는 동안 짜증 한번 내지 않는 그런 친구다. 마트에 가서 갖가지 시식도 즐기고, 신선한 횟감이나 고기도 잘 고를 줄 안다. 그래서 내가 바쁘거나 아이들이 심심해할 때면 마트를 돌며 1시간 동안 장보는 일이 흔하다.

남편이 처음 입도했을 때 귀촌 모임에서 비슷한 생각(또는 고민)을 가진 또래의 사람들을 만나면서 생기가 넘쳤었다. 그러나 다들 어느 순간 제주에 적응하지 못하고 모두 떠나버렸고 자리 잡고 남은 한 가족은 거리도 멀고 너무 생활이 바쁜 나머지 찾아가기가 점점 미안해지면서 서먹해져 버렸다. 그리고 마을 모임에도 참여했었다. 그러나 이마저도 작고 큰일로 내분이 생겨 식사 모임은 없어졌고, 지역 개발사업의 득실에 따라 2패 아니 3패로 갈라진 마을 내부 싸움에 중간에 끼이게 되었다. 환경훼손이 우려돼 난개발을 반대하던 우리는 공공의 적이 되어 굴러들어 온 육지 것은 당장 떠나라는 삿대질을 당하고 난 후 더 이상 나가지 않기로 했다. 그리고 직장 모임에서는 술을 과하게 좋아해서 매번 인사불성이 된 후에도 멈추지 않는 잦은 회식 분위기와 동료들이 벌인 심한 주사 뒤치다꺼리까지 하다가 이마저도 이일 저일로 그만 참여하기로 했다. 그 뒤로는 어쩌다 한 번씩 걸려 오는 육지 친구들, 외국에 거주 중인 동창들과의 전화 수다를 즐기고 있다.

보통 수다를 여성의 전유물로 여기지만 나는 여자들보다 더 필요하고 무서운 게 남자들의 수다라는 생각에 동의한다. 쓸데없이 말수가 많다는 뜻을 가진 '수다'는 언뜻보기에 부정적인 단어로 들릴 수도 있지만, 살아가는데 위로가 되기도 하고 감정을 정화하는 치유의 힘을 갖고 있다는 말을 어느 책에선가 본 적이 있다. 옆에서 보기에 수다 친구가 더 필요한 남편에게 나는 오늘도 끝인사를 건넨다.

"그럼, 다음에도 잘해보게. 수다 친구!"

수다에도 매너가 있다.

"나 요즘 너무 힘들어. 신세 한탄 좀 그만 듣고 싶어. 요즘 같은 아파트에 사는 동네 언니가 일주일에 2~3번씩 집에 놀러 와. 근데 오자마자 쉬지 않고 30분 동안을 먼저 속사포로 얘기해. 내가 그랬구나라고 호응할 틈도 안 주고 숨도 안 쉬는 것 같아."

"그분 많이 힘든 일 있나 보네. 네가 잘 들어주고 호응 잘해주는 편이잖아. 그래서 그런가 봐. 너무 자주 찾아오면 바쁘다고 좀 둘러대지."

"그래. 나도 처음에는 안타까워서 들어줬어. 근데 한도 끝도 없이 얘기해. 시시콜콜 시댁, 남편 얘기하는 것까지는 좋은데, 자기 얘기만 먼저 들어달라고 하고 끝까지 자기만 혼자 떠들다가 가잖아. 내 얘기는 듣지도 않아. 자기가 물어보고 자기가 대답해. 내가 말할 틈도 안 줘. 그렇게 한 시간 이야기하다가 가면 기가 빨려서 다음 날까지 힘들고 아파. 온몸이 무거워. 그림자까지 무거워지는 기분이야. 참다 참다 오늘은 시작하는 말을 끊고 얘기했어. 연락도 안 하고 집에 있는 줄 알고 또 그냥 왔더라고. 무슨 얘기인지 궁금하지 않고 내가 지금 너무 힘들고 아프니까 얘기하고 싶어서 찾아온 건 알겠는데 그만하고 가달라고 했어. 언니는 힘든 일들 나한테 다 얘기하고 나니까 집에 가면 다리 뻗고 홀가분하게 잤다고 하지만, 나한테는 그 얘기들이 안 없어지고

쌓여서 몸에 덕지덕지 붙었나 봐. 요즘 처지고 기 빨렸어. 근데 마음이 불편해. 나 잘한 거 맞겠지?"

핸드폰 저 너머에서 거친 숨을 몰아쉬며 말하는 친구 목소리를 듣고 있자니 아차 싶었다. 어느 책에서 비슷한 구절을 읽었던 기억이 난다. 다른 사람에게 푸념하거나 신세 한탄을 연달아 하지 말라고, 그들도 그런 반복되는 부정적인 얘기는 듣기 싫다고, 인간관계가 끊길 수 있으니 힘들어서 꼭 뱉어야 살 것 같다면 차라리 글로 쓰고 또 쓰라고 쓰여있었다.

나는 어땠지?

'내가 남편이나 친구에게 힘들다는 이야기만 쉬지 않고 반복해서 말했었나, 머리부터 발끝까지 모든 사소한 일들을 이야기하며 징징댄 적이 있었나, 배려 없고 눈치 없게 상대방이 뭐라고 하든 내 얘기만 주야장천 떠들어댄 적이 있었나, 우연히라도 다른 사람 뒷담화를 한 적이 있었나, 상대방을 손쉬운 내 감정 쓰레기통으로 여긴 적이 있었나…'

깊이 생각하지 않아도 그 어느 것 하나 '아니'라고 자신 있게 대답할 수가 없다.

친구와 전화를 끊고 나니 어릴 적 도덕 선생님께 꾸지람을 들은 것 같아 정신이 번쩍 든다.

"수다에도 매너가 있다는 것을 잊지 말아라."

수다는 일방적으로 쏟아내는 이야기가 아니라 서로 간의 대화임을, 말만 많으면 그만큼 말실수도 늘어남을, 그리고 유쾌한 수다쟁이가 되어야 한다는 것을, 내 애길 들어주는 그들과 그 시간을 소중하게 생각해야 한다는 것을 되새기고 또 곱씹어본다.

에필로그

제주에서의 지난 10년의 시간들은 우리 가족사에서 가장 의미 있는 순간들로 가득했다. 처음 제주에 발을 내딛던 설렘과 두려움, 불편감에서부터 도민으로 살아오며 마주했던 수많은 일상과 도전들, 그리고 육아를 통해 엄마로서 그리고 개인으로서 커 온 과정과 고민. 이 모든 경험은 나를 좀 더 깊고 넓게 성장하도록 만들었다.

이 책을 통해 평범하고 소박한 제주 시골의 일상 이야기를 엿보면서, 육지에서의 생활과는 다른 특별한 삶의 일부를 보고, 그 속에서 느끼는 감정과 고민, 그리고 외로움, 깨달음을 여러분과 함께 공유할 수 있었기를 바란다.

그리고 '제주 What(왓) 수다'가 마지막이 아닌 새로운 시작이었으면 한다. 저자는 10년 동안 모은 별별 노하우들을 후속작에서 전수할 예정이다. 제주 생활의 지혜, 제주를 더 즐길 수 있는 다양하고 구체적인 팁들까지, 독자들이 제주에서의 삶을 더욱 풍성하게 누릴 수 있도록 도와줄 것이다.

마지막으로 사랑하는 남편과 우리 온자매들 -가온, 다온, 라온, 존재만으로 힘이 되어주는 엄마, 형제자매들과 죽마고우 둘, 제주에서 함께 살아가고 있는 수눌음 놀멍쉬멍 식구들과 절친희분들, 집필에 도움을 주신 이선경님과 솔앤유 박산솔대표님께 감사의 마음을 전한다.

제주 What(왓) 수다 입도에서 육아까지, 제주 생존 10주년 기념 수다

발 행 | 2024년 07월 31일
저 자 | 김미르
그 림 | 김가온, 김다온
표지그림 | 김가온, 김다온
디자인 | 오은정
인권표현검수 | 이지민
바른우리말검수 | 이지민
후원 | 제주특별자치도, 제주문화예술재단
주관 | 서귀포 오아시스
미디어에디터 | 최인서
작품편집, 에이전트 | 박산솔, 이정숙, 이선경
펴낸이 | 한건희
펴낸곳 | 주식회사 부크크
출판사등록 | 2014.07.15.(제2014-16호)
주 소 | 서울 금천구 가산디지털1로 119, SK트윈타워 A동 305호
전 화 | 1670 – 8316
이메일 | info@bookk.co.kr

ISBN | 979-11-410-9841-4

www.bookk.co.kr

2024 엄마의 활주로 '함께육아에세이'의 취지에 맞게 작가의 감정 표현과
아이의 언어 표현을 지키는 방향으로 교정 교열 하였습니다.

본 책은 강원교육모두체, 학교안심(확장)바른돋움체, 상상토끼꽃길체가 사용되었습니다.

본 책은 제주특별자치도와 제주문화예술재단의 후원을 받아 제작되었습니다.